Cruz e Sousa

Dados Internacionais de Catalogação na Publicação (CIP)
(Câmara Brasileira do Livro, SP, Brasil)

Prandini, Paola
Cruz e Sousa / Paola Prandini. — São Paulo : Selo Negro, 2011. — (Coleção Retratos do Brasil Negro / Coordenada por Vera Lúcia Benedito)

Bibliografia.
ISBN 978-85-87478-48-1

1. Poetas brasileiros - Biografia 2. Sousa, Cruz e, 1861-1869 I. Título. II. Série.

11-09615 CDD-928.6991

Índice para catálogo sistemático:
1. Poetas brasileiros : Biografia 928.6991

RETRATOS DO BRASIL NEGRO

Cruz e Sousa

Paola Prandini

SELO NEGRO EDIÇÕES

Editora executiva: **Soraia Bini Cury**
Editora assistente: **Salete Del Guerra**
Coordenadora da coleção: **Vera Lúcia Benedito**
Projeto gráfico de capa e miolo: **Gabrielly Silva/Origem Design**
Diagramação: **Acqua Estúdio Gráfico**
Fotografias: **Diego Balbino**
Impressão: **Sumago Gráfica Editorial Ltda.**

Selo Negro Edições
Departamento editorial
Rua Itapicuru, 613 – 7º andar
05006-000 – São Paulo – SP
Fone: (11) 3872-3322
Fax: (11) 3872-7476
http://www.selonegro.com.br
e-mail: selonegro@selonegro.com.br

Atendimento ao consumidor
Summus Editorial
Fone: (11) 3865-9890

Vendas por atacado
Fone: (11) 3873-8638
Fax: (11) 3873-7085
e-mail: vendas@summus.com.br

Impresso no Brasil

Àqueles que, nas idas e vindas da vida, me ensinaram e ainda me ensinam que, se acreditarmos na igualdade e no amor, não precisaremos de mais nada para ser felizes. E não há maior felicidade do que levar a felicidade ao encontro de quem dela se perdeu.

Agradecimentos

Aos meus pais, que geraram em mim a vontade de tornar o mundo um lugar melhor.

À minha amada irmã, Drica, pela companhia.

À minha avó Janete, por sempre estar pronta para qualquer "parada".

A Diego Balbino, pelo companheirismo e por ter dedicado sua arte às imagens deste livro.

Aos companheiros de luta, que me permitem estar a seu lado nas batalhas da vida: agradeço a eles pela semente plantada com a equipe Dandaras e pela concreta realização da AfroeducAÇÃO.

Mas, embora, meus senhores,
se festeje a Liberdade,
a gentil Fraternidade
não raiou de todo, não!

Cruz e Sousa, *"Sete de setembro"*

Sumário

Introdução

Homem livre de cor: categoria em que figura o poeta catarinense Cruz e Sousa em diversos textos e análises sobre sua vida e o legado de sua obra. No entanto, me pergunto: o que é ser visto como homem livre de cor num Brasil do século XIX? Eis que me rompe a primeira resposta: dolorido. Dor que João da Cruz e Sousa, nome de batismo do ilustre poeta simbolista, sentiu literalmente na pele e enriqueceu demasiadamente sua obra. Mesmo que tal dor não fosse compreendida por quem o lia. Afinal, os leitores de Cruz e Sousa – em sua maioria brancos de classes mais abastadas – raramente tinham a infelicidade de compartilhar o sofrimento por ele sentido cotidianamente.

Na cidade de Desterro (atual Florianópolis, em Santa Catarina), onde nasceu e passou grande parte da vida, Cruz e Sousa amargurou dificuldades para simplesmente *ser*. Dor. Ódio. Racismo. Luta. Abolição. Morte. Palavras que fizeram parte da literatura sempre poética – mesmo quando em prosa – de Cruz e Sousa. Mas, apesar disso, também presenciamos um Cruz e Sousa mais contente com a vida que levava, principalmente quando estava apaixonado por Gavita – seu único grande amor, mãe de quatro filhos que tiveram a mesma triste sorte dos pais: a morte por tuberculose.

Quando adolescente, Cruz e Sousa já sabia o que queria: ser letrado e estar envolvido com as letras durante todo o tempo. E foi isso que perseguiu. Trabalhou como poeta e jornalista ao longo da vida. Como poeta, usou palavras difíceis, um português nobre, e nos deleitou com uma sensibilidade que pode ser sentida, ouvida, cheirada, degustada. Uma obra digna de uma grande ópera farta de coquetéis.

Se estivesse vivo hoje, Cruz e Sousa conheceria uma Florianópolis mais embranquecida, mas que, seja como for, exalta seu nome e o remete a um passado quase mítico, emaranhado nas letras de uma Literatura com letra maiúscula, como muitas vezes o poeta buscou reforçar. Sua memória, hoje, confronta o contexto social do século XIX – que infelizmente existiu.

Atualmente, mesmo com mais de 50% da população brasileira composta por negros (entre eles pretos e pardos, conforme nomenclatura do Censo 2010, organizado pelo Instituto Brasileiro de Geografia e Estatística – IBGE), as situações de racismo continuam frequentes e ainda são poucos os negros que ocupam as carteiras das universidades e os cargos de poder. À semelhança do que enfrentou Cruz e Sousa, a quem foi negado o cargo de promotor da cidade de Laguna, ainda são enormes as batalhas daqueles que almejam o protagonismo negro.

Busto de Cruz e Sousa, localizado na Praça XV de Novembro, em Florianópolis (SC).

No entanto, há quem diga que Cruz e Sousa não tenha sofrido discriminação racial. Afinal, transitava por entre brancos e ricos mesmo sendo filho de negros que haviam sido escravizados no Brasil. Porém, é preciso reiterar o mito da democracia racial vivido em terras tropicais desde seus primórdios e presente até hoje.

Durante o final do século XIX e ao longo do século XX, a fim de que a população negra passasse a ser minoria no país, construiu-se um ideal de branqueamento da população negra brasileira, desenvolvido como projeto nacional por meio de políticas de povoamento, imigração europeia e também pelo incentivo à miscigenação. Quanto mais brancos imigrassem e quanto maior o número de nascimentos de filhos provenientes de relações inter-raciais, menos "escuro" ficaria o Brasil. Dessa maneira, a classe branca dominante continuaria majoritária e detentora de todas as vantagens socioeconômicas vigentes.

Nesse sentido, cremos que Cruz e Sousa travou, com outros personagens históricos de extrema importância de seu tempo – assim como os também negros Castro Alves, Luiz Gama e José do Patrocínio, acompanhados ou não de companheiros brancos –, uma luta que ainda não teve fim de fato. Mas que, se acreditarmos e agirmos, ainda pode nos revelar grandes conquistas.

E, assim, envoltos em jogos de palavras, sinestesias, aliterações e vocábulos dignos de um Cisne Negro – como Cruz e Sousa era conhecido –, procuraremos nesta obra reiterar a importância desse grande poeta na literatura brasileira e na denúncia da discriminação racial.

Vista do Palácio Cruz e Sousa, no centro da cidade de Florianópolis, considerado patrimônio histórico do Estado de Santa Catarina.

Memorial Cruz e Sousa, inaugurado em 6 maio de 2010, no interior do Palácio Cruz e Sousa.

1. Da infância em Desterro à volta pelo Brasil

Cruz e Sousa por si só é um símbolo, um enigma a ser decifrado. Aproximando-nos deste enigma, estaremos mais perto do poeta, de sua época, do seu espírito, dos seus temas, de sua vida e poesia, da sua dor.

Del-Pino, 1993, p. 193

JOÃO DA CRUZ E SOUSA

Nascido em 24 de novembro de 1861 na então cidade de Desterro (nome dado em homenagem à padroeira da cidade, Nossa Senhora do Desterro) – hoje Florianópolis (SC) –, Cruz e Sousa viveu grande parte de sua vida nessa cidade.

Seu nome de batismo era João da Cruz e Sousa, também em homenagem a um santo: São João da Cruz. De família católica, foi batizado em 4 de março de 1862 na Matriz de Nossa Senhora do Desterro – pelo que se sabe, pelo padre Joaquim Gomes de Oliveira Paiva.

28 Certidão de batismo de Cruz e Sousa (4 mar. 1862).

Arquivo Histórico Eclesiástico de Santa Catarina

CERTIDÃO

Certifico e dou fé que do livro 20 (vinte) de assentamentos de batismos da Paróquia de Nossa Senhora do Desterro às fls. 28 e sob o nº — consta o seguinte:

1 João da Cruz — Aos quatro dias do mez de Março do anno de mil oito centos e sessenta e dous nesta Matriz de Nossa Senhora do Desterro baptisei solemnemente e puz os santos oleos ao innocente João da Cruz, nascido a vinte quatro de Novembro do anno passado, filho natural de Carolina Eva da Conceição crioula liberta, natural desta Freguesia. Foram padrinhos Manoel Moreira da Silva Junior e Nossa Senhora das Dores. Do que para constar fiz este termo. O Vig.º Joaquim Gomes d'Oliveira Paiva — Averbação: Pai: Guilherme Souza, por subsequente matrimonio. —

Nada mais continha o dito assentamento a cujo original me reporto. E verdade e rejurato, in fide parochi.

Florianópolis, 4 de Agosto de 19[illegible]8

[illegible]

Certidão de batismo de Cruz e Sousa.

Filho de Guilherme (a quem os amigos de Cruz e Sousa chamavam de "o homem de Darwin") e Carolina Eva da Conceição, que foram escravizados, era negro retinto. Ainda cativo, Guilherme trabalhava na casa de seu senhor, o coronel Guilherme Xavier de Sousa. Foi libertado em 1865, quando o pequeno João tinha 4 anos, e passou a trabalhar como pedreiro. Já Carolina havia sido libertada antes mesmo da aprovação da Lei do Ventre Livre (outorgada em 1871). Desde então, trabalhava como doméstica e lavadeira na casa do Coronel Guilherme, posteriormente conhecido como marechal de campo.

A família morava no porão alto e amplo da casa senhorial do coronel, e foi lá que nasceram os filhos João da Cruz e Norberto, o caçula. Essa casa ficava onde se encontra o atual Colégio Lauro Müller, no centro de Florianópolis.

Era habitada pelo coronel Guilherme de Sousa e por sua esposa, Clarinda Fagundes de Sousa. O próprio sobrenome do futuro poeta catarinense foi dado em homenagem à família Sousa, tamanho o vínculo entre o casal e os pais de João da Cruz e Norberto. Os irmãos, por sua vez, tinham acesso a toda a casa, já que os proprietários os consideravam filhos de criação.

Foi Dona Clarinda quem ensinou ao menino João da Cruz as primeiras letras do alfabeto. E, aos 8 anos, o futuro poeta já declamava seus primeiros versos ao coronel Guilherme. Nessa época, Cruz e Sousa estava matriculado em uma escola pública conhecida como "Escola do Velho Fagundes". Já em 1874, quando foi inaugurado o chamado Ateneu Provincial, os irmãos passaram a estudar na então escola privada. Isso só foi permitido porque, conforme documento que consta no Arquivo Público do estado de Santa Catarina, o presidente da província podia disponibilizar vagas para "quatro menores pobres, como pensionistas, seis como meio-pensionistas e dez como externos, uma vez que sejam de reconhecida inteligência e de família honesta, dando, em todo caso, preferência aos filhos de empregados públicos da Província que se tenham distinguido pelo bom desempenho do seu cargo".

Nesse sentido, há relatos – encontrados em arquivos históricos e análises sobre a vida e a obra de Cruz e Sousa – que mencionam ele e o irmão que eram exímios estudantes, o que pode ter colaborado para a garantia das bolsas naquele colégio. Durante seus anos de estudo, o menino-poeta aprendeu português, francês e inglês.

Durante sua infância e adolescência, João da Cruz e Sousa pôde ver o mundo com olhar positivo, pois estudou nas melhores escolas da capital do atual estado de Santa Catarina – que, à época, fazia jus ao fato de ser uma ilha, pois era pouco habitada e praticamente nada urbana. Contudo, é importante salientar que se sentia diferente dos outros desde o início, pois era um dos únicos negros da escola. No entanto, não há registros oficiais de que Cruz e Sousa tenha sofrido discriminação racial.

Em sua adolescência, seus pais conseguiram construir uma casa própria na chamada Praia de Fora, também em Santa Catarina. Lá, Norberto começou a trabalhar como tanoeiro, profissão que o levou posteriormente a morar em São Paulo. Já o futuro vanguardista do simbolismo decidiu enfrentar os leões e seguiu pelo caminho do saber. Tornou-se professor particular, mesmo tendo sido caixeiro – a contragosto – e participou, declamando poesias, de festivais de teatro da cidade.

Quando ainda estava no Ateneu Provincial, João da Cruz e Sousa fundou, com os amigos Virgílio Várzea e Santos Lostada, um pequeno jornal literário chamado *Colombo*, que, por conta dos poucos recursos, teve curta duração. Do círculo de amizade construído na juventude, principalmente em torno do teatro, surgiu o "Ideia Nova", grupo literário que pretendia renovar as letras locais.

Ainda jovem, saiu de casa e foi para a Capitania dos Portos, onde moravam os pais de Virgílio Várzea. Lá, foi acolhido pela mãe do amigo, que chamava Cruz e Sousa de "Fidalgo". Em 1883, o recém-nomeado presidente de Santa Catarina, Francisco Luís da Gama Rosa, conheceu o "Ideia Nova" e nomeou Virgílio Várzea oficial de gabinete. Dessa forma, até 1884, quando Gama Rosa deixou o cargo, o prestígio social do grupo a que Cruz e Sousa pertencia cresceu.

Este, aliás, foi nomeado por Gama Rosa promotor público de Laguna, mas infelizmente não chegou a tomar posse do cargo. Na ocasião, os chefes políticos locais se opuseram à possibilidade de ter um jovem negro no comando de um cargo tão respeitado. Como Gama Rosa estava prestes a deixar a presidência da província, não teve condições políticas de sustentar sua decisão.

Entretanto, o grupo formado por Cruz e Sousa, Virgílio Várzea, Santos Lostada, Carlos de Faria, Horácio de Carvalho e Araújo Figueiredo, entre outros poetas que buscariam a instauração do simbolismo no Brasil, ganhou reputação na cidade de Desterro e chegou a conquistar adeptos no Rio de Janeiro – como Oscar Rosas, Luis Delfino e B. Lopes, que, à época, ainda assinava seus textos como Bernardino Lopes.

Mesmo ainda muito jovem, com 22 anos, vale ressaltar que Cruz e Sousa já havia transitado por diversas regiões do Brasil, já que trabalhara como secretário e como ponto (aquele que "sopra" as falas aos atores quando há esquecimentos) da Companhia Dramática Julieta dos Santos.

O BRASIL AOS OLHOS DO VIAJANTE CRUZ E SOUSA

As viagens pelo Brasil feitas com o grupo de teatro colaboraram para a formação humana de Cruz e Sousa. Antes mesmo do trabalho definitivo na Companhia, ocorrido por volta de 1883, ele já tivera oportunidade de fazer curtas viagens pelo sul do país, também acompanhado de artistas do teatro. Mas o convite de Moreira Vasconcelos para que o poeta ingressasse definitivamente na trupe foi além de suas expectativas.

No grupo de Vasconcelos se encontrava uma atriz prodigiosa, de 10 anos de idade, chamada Julieta dos Santos (cujo nome batizou a companhia). Cruz e Sousa ficou encantado com a repercussão do sucesso da garotinha e, paralelamente a poemas que escreveu em sua homenagem, estabeleceu relações com diversos grupos de teatro.

Quando estava na Bahia, em janeiro de 1884, entrou em contato com os versos do poeta condoreiro Castro Alves, os quais influenciaram algumas de suas produções futuras. A própria companhia dramática em que trabalhava chegou a explorar o tema, levando ao palco "A filha da escrava", de autoria de Artur Rocha.

Em abril daquele mesmo ano, a companhia deixou a Bahia e seguiu para Pernambuco. Lá repercutiram os acontecimentos do Ceará, que já havia libertado seus escravos. Foi declamada, então, a poesia "Nova orientação", de Cruz e Sousa. Um jornal de Recife publicou seu poema "Aleluia! Aleluia!"

De Pernambuco, a companhia foi para o Ceará, onde Cruz e Sousa pronunciou uma conferência sobre o abolicionismo (parte dela pode ser lida no terceiro capítulo deste livro). Lá, o texto de Cruz e Sousa foi bem aceito e ovacionado pelos abolicionistas presentes.

Ao final da turnê com a Companhia Dramática Julieta dos Santos, depois de ter visitado os estados do Maranhão e do Pará, Cruz e Sousa, então com 23 anos, escreveu seu primeiro livro, *Cambiantes*, publicado postumamente em *O livro derradeiro* (1945).

Vale ressaltar que, ainda enquanto viajava, ele publicou, em coautoria com os colegas do Ateneu Provincial, alguns textos em outros veículos, já que o jornal *Colombo* existiu durante parcos meses. Sabe-se que o poeta chegou a ter poemas publicados em veículos da imprensa como *Regeneração* e *Jornal do Commercio*, entre outros.

Em 1885, publicou, em coautoria com Virgílio Várzea, o livro *Tropos e fantasias*. Nessa época, com a dissolução da companhia teatral de Moreira de Vasconcelos, Cruz e Sousa voltou para a casa dos pais e passou a procurar oportunidades de trabalho na imprensa, primeiramente na Bahia e depois no Rio de Janeiro. No entanto, suas tentativas não obtiveram êxito.

2.
Um poeta no jornalismo

Nomear um objeto é suprimir três quartos
do prazer do poema, que consiste em ir
adivinhando pouco a pouco: sugerir, eis o sonho.
É a perfeita utilização desse mistério
que constitui o símbolo: evocar pouco
a pouco um objeto para mostrar um estado
de alma ou, inversamente, escolher
um objeto e extrair dele um estado de alma
através de uma série de adivinhas.
Mallarmé (*apud* Nicola, 2006)

De volta a Praia de Fora, Cruz e Sousa conseguiu o cargo de redator do jornal catarinense *O Moleque* – que, à época, levava acento agudo no primeiro "e". De formato reduzido, era ilustrado com litogravuras.

No comando do periódico, o poeta aprimorou o formato do falido *Colombo*. Ali o então jornalista-poeta já visitava as consequências de ser "assinalado", conforme discorre no soneto de mesmo nome publicado em *Últimos sonetos*, material escrito já quase no fim da vida:

O Assinalado
Tu és o louco da imortal loucura,
O louco da loucura mais suprema.
A Terra é sempre a tua negra algema,
Prende-te n'ela a extrema Desventura.

Mas essa mesma algema de amargura,
Mas essa mesma Desventura extrema
Faz que tu'alma suplicando gema
E rebente em estrelas de ternura.

Tu és o Poeta, o grande Assinalado
Que povoas o mundo despovoado,
De belezas eternas, pouco a pouco...

Na Natureza prodigiosa e rica
Toda a audácia dos nervos justifica
Os teus espasmos imortais de louco!

Cruz e Sousa ingressou n'*O Moleque* em maio de 1885, cerca de cinco meses após o lançamento do periódico, que havia sido fundado por um jovem português chamado Pedro Paiva. Depois de sua admissão, o cabeçalho do semanário passou a estampar na capa a seguinte frase: "Redação de Cruz e Sousa. Propriedade de uma Associação" – o que demonstra a liberdade de que o poeta desfrutava para exprimir suas reivindicações como poeta negro de seu tempo.

O foco do jornal era a crítica política, sempre baseada na sátira e no humor. Foram precursores de *O Moleque* os periódicos *Matraca* (1882) e *O Mosquito* (1888) – publicações que marcaram a imprensa caricata de Santa Catarina no século XIX.

O Moleque era basicamente escrito apenas por Cruz e Sousa. Essa é uma das razões pelas quais podemos atribuir ao poeta os pseudônimos Zat, Zot e Zut. Além desses, há registros de que ele usou, em outras épocas, pseudônimos diversos, como Felisberto, Filósofo Alegre, Heráclito, Zé K., Trac, Coriolano Scevola e Habitué (Soares, 1988).

Durante a gestão de Cruz e Sousa, o periódico registrou a vida cotidiana em Desterro, concursos de beleza para eleger as moças mais bonitas da cidade e atividades culturais, entre outras pautas. No entanto, um episódio merece destaque. No dia 14 de julho de 1885, a colônia francesa de Desterro comemorou, com um elegante banquete, o aniversário da queda da Bastilha no Grande Hotel da cidade. Na ocasião, *O Moleque* não foi convidado para o evento. Por conta disso, Cruz e Sousa saiu em defesa do jornal publicando uma nota de repúdio no dia 19 de julho de 1885:

> *O Moleque* não é o esfola cara das ruas, na frase de Valentim Magalhães, nem o abocanhador peralta e atrevido que salta à noite os muros altos para lançar a prostituição no seio das famílias, não é o garoto das praças públicas, o Gamin das latrinas sociais, o tartufo encasacado e enluvado que arrasta a sua imbecilidade córnea pelos clubes,

> pelos teatros, pelas reuniões, pelos passeios. É um jornal moço, moço quer dizer nervoso, moço quer dizer sanguíneo, cheio de pulso forte, vibrante, evolucionista, adiantado. (*O Moleque*, 19 jul. 1885, p. 2)

Além desse esforço para obter reconhecimento diante da sociedade da época, dominada por uma elite predominantemente branca, Cruz e Sousa ainda teve de passar por outra humilhação. *O Moleque* também não foi convidado para participar do jantar de comemoração do aniversário do Clube 12 de Agosto – local onde se reunia a população rica de Desterro. O evento contou com todos os representantes da imprensa local.

Assim como o próprio Cruz e Sousa afirmava, o motivo de tais ocorrências era o fato de o redator do jornal, em suas palavras, ser "um crioulo". Em protesto ao ocorrido em relação ao Clube 12 de Agosto, ele escreveu: "[...] Só não se distribuiu convite para *O Moleque* porque seu redator-chefe é um crioulo e é preciso saber que esse crioulo não é imbecil". Afinal, ele era um dos únicos – senão o único – a cumprir determinada função naquela sociedade oitocentista e escravista da época, em que a questão da cor realmente impedia os negros de ascender socialmente.

Com o fim de *O Moleque*, outro periódico buscou manter o ponto de vista social do semanário de Cruz e Sousa. Nomeado *Abolicionista*, foi lançado em 25 de novembro de 1885 e durante um ano incentivou a campanha pela libertação dos escravos. Além de publicar textos no *Abolicionista*, Cruz e Sousa passou a colaborar com a *Tribuna Popular*, bissemanário impresso por

José Lopes Júnior que sobreviveu até o início da década de 1890. Foi lá que o poeta acolheu o amigo e futuro braço direito Nestor Vítor.

Como ainda era solteiro, aos 25 anos resolveu viajar pelo país novamente, tendo tentado viver no Rio de Janeiro, mas não conseguido se manter. Cruz e Sousa viajou, então, para o Rio Grande do Sul, permanecendo naquele estado até 2 de fevereiro de 1887, quando retornou a Desterro.

Depois, em meados de 1888, resolveu se estabelecer definitivamente no Rio de Janeiro, até porque já vislumbrava um possível casamento naquela cidade. Com o intuito de arrecadar fundos para a viagem, escreveu uma carta, em 2 de abril daquele ano, para o comerciante e amigo Germano Wendhausen, líder abolicionista (essa carta pode ser vista na seção "Cronologia" deste livro). Por fim, logo após a abolição da escravatura (em 13 de maio de 1888), partiu para a "cidade maravilhosa", tendo ido morar, inicialmente, na casa do amigo Oscar Rosas, pois ainda não havia conseguido empregar-se.

Em sua rápida estada naquela casa, conseguiu publicar alguns poemas na imprensa local carioca, num jornal nomeado *Novidades*. Todavia, teve de retornar a Desterro em março de 1889, pois, por problemas relativos à moradia em que estava, tivera de deixar o local. A casa precisava ser ocupada por outras pessoas.

Nos anos de 1890 (quando havia voltado para Desterro) e 1891 (ano em que sua mãe faleceu e em que já havia retornado ao Rio de Janeiro), Cruz e Souza praticamente não publica nada, apesar de trabalhar na capital carioca como funcionário da imprensa local e assim se manter.

Naquela época, a cidade do Rio de Janeiro sofria forte influência dos ideais positivistas, que proclamavam a inferioridade das raças não europeias e justificavam esse argumento na ciência – considerada infalível. O próprio governo impulsionava essa política de segregação, com o intuito de criar uma nova civilização no país. Daí a dificuldade de um negro como Cruz e Sousa se estabelecer naquela região.

No entanto, quando passava por situações na qual se esperava que assumisse uma postura de inferioridade, aquele que ainda seria chamado de Cisne Negro não hesitava em afirmar que era semelhante a qualquer outro homem. Osvaldo Vieira da Silva Filho (*apud* Alves, 1961) relata que

> era corrente na boca do movimento negro dos anos 1960, na capital de Santa Catarina, a história de que Cruz e Sousa, então poeta e professor particular respeitado, jovem ainda na velha cidade de Desterro, teria tido uma das mais heroicas atitudes, sobretudo como negro. Nosso Cruz havia enfrentado o todo poderoso coronel Moreira César [...], um militar ferrenho, acusado de abusos de poder diversos e de mandar prender, torturar e até matar, nos fortes da cidade, aqueles que constituíam seus rivais. Ao passar pelo coronel, Cruz e Sousa perfilou-se todo e esta atitude afetou frontalmente o duro militar, que parou, chamou a atenção do poeta e o interpelou, rodeado dos capangas, num diálogo em que dizia a Cruz e Sousa para apagar a luz do local de onde provinha – uma vivenda onde estava com amigos. No entanto, a resposta do poeta foi a seguinte:

– Senhor coronel César, por obséquio, não querendo abusar de sua personalidade, digo-vos e peço-vos, em nome de Deus, que não me tomeis por seu criado, pois não o sou e jamais o serei.

Diz-se que essa passagem fez recrudescer, por parte dos pais de Cruz, os passeios noturnos do filho, por receio de uma represália do coronel.

Lutador nato, Cruz e Sousa conseguiu seu primeiro emprego no Rio de Janeiro em um jornal chamado *Cidade do Rio*, tendo dividido um quarto com Araújo Figueiredo, também funcionário do jornal. Assim que uma crise arrebatou a redação, Cruz e Sousa foi despedido e Figueiredo, solidário ao amigo, pediu demissão.

Foi, então, para a *Revista Ilustrada*, que pertencia ao renomado Ângelo Agostini, tendo passado pelos periódicos *Novidades* (do qual Oscar Rosas, amigo de Cruz e Sousa, era secretário), *Folha Popular* e *Gazeta de Notícias*. No entanto, por seu amor e apelo à arte, Cruz e Sousa não conseguia crescer nas redações dos jornais, ficando sempre em cargos secundários e com baixa remuneração. Os fatos que aconteciam na cidade não lhe eram atraentes e, por isso, não desempenhava seu papel de jornalista como o repórter que deveria ser. Era a alma de artista clamando por um espaço.

Com o fechamento da redação de *Novidades*, em setembro de 1892, Cruz e Sousa, que já procurava patrocínio para editar suas primeiras publicações solo – *Missal* e *Broquéis* – teve sorte: no ano seguinte conseguiu, com a ajuda de amigos, imprimir tais títulos. No entanto, essa conquista não chegou a colaborar para que sua precária situação financeira melhorasse.

Imagens de capas de O Moleque

Anno 1º — Assign. por mez 1:000 rs. — Numero 42

O MOLÉQUE

Redacção de Cruz e Souza | Propriedade de uma Associação

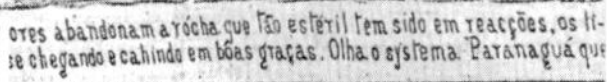

ores abandonam a rócha que tão esteril tem sido em reacções, os li-
se chegando e cahindo em bôas graças. Olha o systema Paranaguá que

Anno 1º — Assign. por mez 1000 rs. — Numero 44

O MOLÉQUE

edacção de Cruz e Souza | Propriedade de uma Associação

O Moléque offerece por premio, ás Exmas heroinas da bellesa e da sympathia, o seu eterno
rriso respeitoso, alegre e saudavel como o perfume das rósas e das violêtas n'um
a de noivado.

CRUZ E SOUZA.

Assume hoje a redacção do *Moléque* o fulgurante escriptor e elevadissimo poeta, cujo nome irradia á cima.

Para se avaliar do seu merito, é bastante dizer que a sua personalidade litteraria foi julgada, pelas principaes folhas do nosso paiz, a mais completa, artistica e superior que a provincia de Santa Catharina tem produzido até aqui.

Entretanto os leitores poderão julgal-o melhor, pelo correcto e salutar artigo que abaixo publicamos, e que foi escripto rapidamente, sobre os joelhos, na occasião em que chegava-nos do sul, a horrorosa e quasi absurda noticia da morte do Dumas brazileiro, a mais cricteriosa e digna organisação de dramaturgo que possuiriamos em melhor futuro—Arthur Rocha.

E' portanto, inundados de um orgulho heroico e extraordinario, que noticiamos a entrada do maravilhoso poeta das *Cambiantes e dos Cirrus e Nimbos*, para a nossa redacção.

Anúncio da admissão de Cruz e Sousa na redação do jornal.

O (QUASE) PAI DE FAMÍLIA

Em setembro de 1892, Cruz e Sousa já estava noivo de Gavita Rosa Gonçalves. O poeta conheceu a moça casualmente num bairro chamado Catumbi, na cidade do Rio de Janeiro. Ao visitar o amigo João Várzea, ele viu, em frente ao portão do cemitério que ali havia, sua futura esposa – por quem se apaixonou quase que à primeira vista.

Gavita havia sido escrava do doutor Antônio Monteiro, humanitário e abolicionista, que havia lhe dado uma excelente educação. Era filha de Luiza Rosa e Thomé Luiz Gonçalves, ambos do grupo de negros cativos pertencente a Monteiro. O noivado do casal foi feito no centro da cidade, num casarão de estilo colonial da família Monteiro.

O casal demorou apenas dois anos para se casar, enquanto o poeta se estabilizava na cidade carioca e viabilizava a publicação de seus livros. Assim que realizou esse feito, tendo sido consagrado o precursor do simbolismo brasileiro, Cruz e Sousa casou-se com a amada, em cerimônia realizada no dia 9 de novembro de 1893.

Um mês depois, o poeta conseguiu emprego fixo como praticante na Estrada de Ferro Central do Brasil e, em dezembro de 1894, foi promovido a arquivista da mesma companhia. Mas mal começara a trabalhar e já o importunava um tal chefe de setor. Por causa dessa perseguição, Cruz e Sousa, dentro de sua seção de trabalho, teria escrito o soneto "O Assinalado" (transcrito anteriormente), dirigido especialmente ao seu detrator.

De início, o casal se estabeleceu no centro da cidade, mas foi em Encantado que eles permaneceram por mais tempo.

Depois de três anos casados, em 1896, o matrimônio se desestabilizara, por conta da pobreza em que viviam. No mês de março daquele ano, Gavita começou a demonstrar sinais de loucura, que perduraram durante cerca de seis meses. Na ocasião, a sogra de Cruz e Sousa passou a morar com a família, a fim de cuidar da filha. Sobre essa parte de sua vida, ele escreveu diversos poemas, inclusive "Ressurreição", abaixo transcrito e que foi publicado em *Faróis*:

Ressurreição

Alma! Que tu não chores e não gemas,
Teu amor voltou agora.
Ei-lo que chega das mansões extremas,
Lá onde a loucura mora!

Veio mesmo mais belo e estranho, acaso,
Desses lívidos países.
Mágica flor a rebentar de um vaso
Com prodigiosas raízes.

[...]

O meu Amor voltou de aéreas curvas,
Das paragens mais funestas...
Veio de percorrer turvas e turvas
E funambulescas festas.

[...]

Onde carrascos de tremendo aspecto
Como astros monstros circulam
E as meigas almas de sonhar inquieto
Barbaramente estrangulam.

Ele andou pelas plagas da loucura,
O meu Amor abençoado,
Banhado na poesia da Ternura,
No meu Afeto banhado.

Andou! Mas afinal de tudo veio,
Mais transfigurado e belo,
Repousar no meu seio o próprio seio
Que eu de lágrimas estreio.

De lágrimas d'encanto e ardentes beijos,
Para matar, triunfante,
A sede ideal de místico desejo
De quando ele andou errante.

[...]

No entanto como que volúpias vagas
Desses horrores amargos,
Talvez recordação d'aquelas plagas
Dão-te esquisitos letargos...

Porém tu, afinal, ressuscitaste
E tudo em mim ressuscita.

E o meu Amor, que repurificaste,
Canta na paz infinita!

Antes ainda de se mudar para o bairro de Encantado, o casal teve dois filhos, tendo o terceiro e o quarto nascido já em meio à pobreza – que, por sua vez, malogrou toda a família a uma fraqueza profunda que futuramente os levou à morte por tuberculose. Raul e Guilherme, primeiro e segundo filhos do casal, morreram em 1898. Logo depois, faleceu Reinaldo, o terceiro. Gavita também morreu do mesmo mal, em 1901. Já o quarto e último filho de Cruz e Sousa, batizado João da Cruz e Sousa Júnior, sobreviveu até a adolescência, vindo a falecer em 1915.

Sabe-se que o último filho do casal, órfão de pai e mãe – pois Cruz e Sousa morreu antes de Gavita (em 1898) –, foi amparado pela avó materna, Luiza Rosa. Ele foi uma criança problemática e doente. Aos 2 anos, adquiriu varíola e, quando cursava o ensino fundamental, perdeu um dos olhos por conta de outra doença. No entanto, o adolescente João da Cruz e Sousa Júnior, em um relacionamento com menina da sua idade, gerou um filho que deu continuidade à linhagem da família.

Quanto à saúde pessoal de Cruz e Sousa, esta havia se mantido normal até 1895, mas em dezembro de 1897 o poeta contraiu uma tuberculose galopante. Seus amigos lhe recomendavam que fosse para cidades altas ou secas, mas, baseado na decisão tomada por seu amigo e médico, o doutor Araújo Lima, o Poeta Negro (como também era conhecido) foi levado para a Estação de Sítio, no alto da Serra da Mantiqueira, em Minas Gerais. Por conta das dificuldades financeiras do poeta, foi a empresa em que trabalhava, a Central do Brasil, que lhe concedeu o transporte ferroviário gratuito para deixar o Rio de Janeiro.

Acompanhado da esposa, grávida do último filho do casal, o poeta desembarcou em Minas Gerais, tendo se hospedado, de 16 a 19 de março, no então Hotel Amadeu. Contudo, seu estado se agravou e ele faleceu, no próprio dia 19 de março, aos 36 anos.

O funeral de Cruz e Sousa ocorreu no Rio de Janeiro e seu corpo foi transportado em um vagão destinado a animais, anexado à composição do trem, também pago pela Central do Brasil. Foi enterrado no Cemitério São Francisco Xavier, em cerimônia que contou com a participação de pessoas ligadas ao movimento simbolista, além de personalidades como José do Patrocínio. Nestor Vítor também discursou na ocasião.

Quatro dias depois, quando na capital catarinense se tomou conhecimento da morte do poeta, seu amigo Santos Lostada angariou dinheiro para a viúva. Ao todo, 35 benfeitores colaboraram, e um deles enviou a Gavita um cordão de ouro e um anel que tinham pertencido ao pai do poeta.

Em julho de 1897 a Academia Brasileira de Letras foi inaugurada por Machado de Assis, mas a instituição recém-criada não fez uma única homenagem a Cruz e Sousa nem o convidou a participar do evento – mesmo tendo ele sido o pai do simbolismo no Brasil.

No entanto, diversas foram as honrarias que recebeu depois de morto. Assim, foi principalmente póstuma a celebração do poeta que deveria ter sido honrado ainda em vida, mas que, por ter nascido filho de escravos, ser negro e ter morrido na miséria, não obteve reconhecimento de sua grandeza em vida.

3. O precursor do simbolismo brasileiro

Ergueram eles (os simbolistas) uma filosofia do inconsciente contra o positivismo dominante. O simbolismo procurou, ostensivamente, reagir ao espírito positivista em todas as suas repercussões morais, sociais e artísticas. Lançou-se, inclusive, a favor da noção de mistério que o positivismo buscou, a todo custo, destruir. Era um comportamento mais romântico que clássico, mais oriental que ocidental. E não foi sem motivo que as artes tanto chinesa quanto japonesa exerceram marcada influência na França do fin de siècle*: na pintura dos impressionistas como na poesia do próprio Mallarmé.*

Portella, 1979, p. 270

A partir da publicação de seus dois primeiros livros – *Missal* (com textos em prosa) e *Broquéis* (composto por poesias) –, ambos publicados em 1893, Cruz e Sousa passou a ser considerado o precursor do simbolismo no Brasil. De maneira geral, as duas obras retratavam as dificuldades de um século em transição, já que perduraria até a instauração do Modernismo no Brasil, movimento que teve como marco inicial a Semana de Arte Moderna de 1922, realizada na cidade de São Paulo.

Protagonizado por artistas vanguardistas da região sul do Brasil, o simbolismo aqui instalado teve como origens as correntes simbolistas europeias – principalmente francesas. Na França, o simbolismo foi inaugurado com a publicação de *As flores do mal*, de Charles Baudelaire, em 1857 – livro que rendeu ao escritor um processo por ultraje à moral pública. Condenado, teve de pagar multa e ainda retirar seis dos poemas nele publicados, os quais haviam sido considerados imorais. Contudo, esse processo foi anulado em 1949.

Em *As flores do mal*, Baudelaire trata de diversos assuntos com extrema sensibilidade, investindo liricamente contra as convenções morais que permeavam a França do século XIX. Nessa obra, pode-se ler a respeito de amor, morte, exílio e tédio, entre outros assuntos. Tudo para relatar as difíceis mazelas do ser humano, fadado a ser atingido, na maioria das vezes negativamente, por ações alheias a si próprio.

Segundo autores como Nicola (2006), a nomenclatura "simbolismo" foi usada pela primeira vez em 1886 por Jean Moréas, em um manifesto no suplemento literário do jornal *Le Figaro*. Ele afirmou: "Inimiga do ensinamento, da declamação, da falsa sensibilidade, da descrição objetiva, a poesia simbolista procura vestir a Ideia duma forma sensível". Outros autores europeus também simbolistas foram Stéphane Mallarmé, Paul Verlaine e Arthur Rimbaud, os quais influenciaram grandemente a obra escrita por Cruz e Sousa e que nela, por vezes, são citados.

O SIMBOLISMO NO BRASIL (1893-1922)

As ideias e as formas da escrita simbolista no Brasil fizeram contraponto ao teor rígido do parnasianismo no país. Este último, que priorizava o uso de rimas ricas e palavras de alto garbo, fora protagonizado por Olavo Bilac, dentre outros grandes nomes de sua época. Era sucesso de crítica e já havia caído no gosto popular quando o simbolismo se instaurou em terras brasileiras, tanto é que foi marginalizado não só pelos parnasianos como pelos primeiros modernistas – que do simbolismo foram sucessores.

Entre as últimas décadas do século XIX e o início do século XX, os simbolistas habitavam um Brasil já independente, mas que ainda continuava a exercer funções colonialistas em relação a Portugal. O comércio, as transações bancárias, a imprensa estavam sob o influxo da metrópole. Para alterar essa realidade foi proclamada a República. A ideia era que o Brasil se separasse definitivamente da metrópole europeia.

Na região Sul – berço do simbolismo no Brasil –, o início desse período literário foi marcado por conflitos como a Revolução Federalista e a Revolta da Armada. Tais conflitos influenciaram a temática simbolista, repleta de críticas ao materialismo burguês e ao racionalismo parnasiano.

Contudo, não se pode afirmar que o simbolismo era o único movimento de sua época. No final do século XIX e no início do XX, coexistiam três tendências: o realismo e suas manifestações (romance realista, romance naturalista e poesia parnasiana); o próprio simbolismo (situado à margem da literatura acadêmica da época); e o pré-modernismo (com o aparecimento de alguns autores que se preocupavam em denunciar a realidade brasileira, como Euclides da Cunha e Lima Barreto, entre outros).

Sabe-se que o primeiro manifesto do simbolismo brasileiro foi publicado no jornal *Folha Popular*, do Rio de Janeiro. Desse movimento, Bernardino Lopes, Emiliano Perneta, Oscar Rosas e Cruz e Sousa foram grandes nomes. Inicialmente, a produção do grupo, também composto por Gonzaga Estrada, era acolhida por publicações como *Novidades* e *Revista Ilustrada*. Em 1897, Gonzaga Estrada, em parceria com Lima Campos e Mário Pederneiras, funda a revista *Galáxia*, primeira publicação exclusivamente simbolista.

Pode-se dizer que o simbolismo produziu três produtos estéticos: a poesia humanístico-social, que tinha como foco os problemas transcendentais do ser humano; a poesia místico-religiosa, que abordava os temas religiosos, afastando-se da linha esotérica adotada na Europa; a poesia intimista-crepuscular, que tinha por mote a vida cotidiana e os sentimentos melancólicos.

De maneira geral, os autores simbolistas almejavam a transcendência cósmica por meio de palavras que compunham uma linguagem indireta e figurada, diretamente ligada às ideias de uma visão de mundo pessimista – e, por outro lado, ligada à música. Nessa busca, guiado pela subjetividade, o escritor simbolista se voltava para o mundo interior, percorrendo um universo invisível ao ser humano. Repleto de elementos sensoriais, como o som, a luz, as cores e as formas, o ato de escrever simbolista é sinestésico, metafórico e até mesmo repetitivo.

Para os simbolistas, as palavras eram capazes de dar acesso ao mundo conotativo, subjetivo e sensorial, portador das verdades essenciais escondidas por trás dos signos linguísticos. Na prática simbolista, o poeta teria por função ritualizar a poesia que escrevia e devia – prioritariamente – ter como público-alvo aqueles que também já haviam sido iniciados nos moldes simbolistas e que, dessa forma, poderiam compreender aquilo que era redigido.

Vejamos a seguir um resumo das principais características das obras simbolistas brasileiras:

- Almejam a oposição entre o corpo físico e o espírito do ser humano, na busca da purificação do corpo e da alma por meio de uma transformação metafísica e espiritual.
- Encontram-se na chamada realidade subjetiva, em que a objetividade não é valorizada.
- Fazem uso de simbologias como forma de apresentar conceitos e crenças;
- Opõem-se às ideias relacionadas ao cientificismo, ao materialismo e ao racionalismo.
- Priorizam como temática aquilo que há de mais profundo e universal no ser humano: sua alma; em consequência, valorizam o momento da morte.
- Valorizam o inconsciente, o subconsciente, o sonho e a loucura (forte influência do psicanalista austríaco Sigmund Freud).

A SINESTESIA À FLOR DA PELE, OS NEOLOGISMOS E A ALITERAÇÃO

Além das características já descritas, outras duas caracterizavam a estética simbolista: a sinestesia e a aliteração. De forma quase única, Cruz e Sousa foi um grande utilizador dessas "ferramentas poéticas".

Como estratégia para discorrer sobre sua existência – ser "emparedado" pelas dificuldades econômicas, pela impossibilidade de ascensão social, pela luta como negro e abolicionista e pela dor universal –, Cruz e Sousa recorreu a essas características, trazendo à tona uma poesia e uma prosa poética que poderiam ser musicadas e ainda degustadas, sentidas, tateadas.

A sinestesia e os neologismos

Por sinestesia entende-se uma "mistura de sensações", ou seja, a possibilidade de, numa mesma frase ou verso, apelar para mais de um dos cinco sentidos humanos. No texto "Sabor", Cruz e Sousa usa desses artifícios para homenagear seu colega Emiliano Perneta:

> *Não basta, pois, o paladar. Esse apenas materializa. Não é, portanto, suficiente, que se sinta o sabor na boca, que se o examine, que se o depure, que se o saiba distinguir com acuidade, com atilamento. É necessário, indispensável que, por um natural desenvolvimento estético, se intelectualize o sabor, se perceba que ele se manifesta na abstração do pensamento.*

Nessa ponte entre sabor e pensamento, o poeta convida o leitor a degustar as ideias e, assim, desenvolver esteticamente um de seus cinco sentidos: o paladar. Outra grande marca da sinestesia é a utilização das cores. Em vários de seus escritos, Cruz e Sousa faz comparações: negro se refere à cor da pele, à escuridão, às trevas, ao abutre (devorador de entranhas, símbolo da morte) ou, ainda, à cor da cegueira, da alma, do nirvana negro, da noite, dos corcéis, da dor, da própria e enaltecida morte. Ainda há o amarelo do fogo, da lava, do sol, e até mesmo o vermelho do sangue e do ferro em brasa.

De acordo com Pádua (1946), as conotações cruzeanas se dariam da seguinte maneira:

- Branco: pureza, virgindade.
- Azul: sonho, alegria mística, elevação.
- Vermelho: luxúria, luta.
- Amarelo: tédio, angústia.
- Violeta: tristeza.
- Negro: dor, angústia.

Outro exemplo de sinestesia pode ser evidenciado no poema "Antífona", presente no livro *Broquéis*. Nele, vemos grandes marcas dessa característica simbolista:

Antífona
Ó Formas alvas, brancas, Formas claras
De luares, de neves, de neblinas!...
Ó Formas vagas, fluidas, cristalinas...
Incensos dos turíbulos das aras...

Formas do Amor, constelarmente puras,
De Virgens e de Santas vaporosas...

Brilhos errantes, mádidas frescuras
E dolências de lírios e de rosas...

Indefiníveis músicas supremas,
Harmonias da Cor e do Perfume...
Horas do Ocaso, trêmulas, extremas,
Réquiem do Sol que a Dor da Luz resume...

Visões, salmos e cânticos serenos,
Surdinas de órgãos flébeis, soluçantes...
Dormências de volúpicos venenos
Sutis e suaves, mórbidos, radiantes...

Infinitos espíritos dispersos,
Inefáveis, edênicos, aéreos,
Fecundai o Mistério destes versos
Com a chama ideal de todos os mistérios.

[...]

Tudo! vivo e nervoso e quente e forte,
Nos turbilhões quiméricos do Sonho,
Passe, cantando, ante o perfil medonho
E o tropel cabalístico da Morte...

Em prosa, Cruz e Sousa – como retratado em "Outras evocações", parte do livro *Obra completa* (2000, p. 714-15) – também faz da sinestesia o mote protagonista. Vejamos o texto a seguir:

A carne

Para nós, que estamos sentindo, como numa grande calamidade de legenda, a carestia da carne, a sua fabulosa inópia, a visão da felicidade toma aspecto de bife de grelha, sangrento alapardado numa porcelana de frisos doirados, entre as franjas louras das alfaces lavadas, macias, frescas, deliciosas...

Adormece-se ao entorpimento de um dia mal alimentado; tem-se sonhos terríveis de voracidade espantosa, entrevendo através de mil estiletes agudos de uma barreira de dificuldades, as pomposas polpas de carne rubra, fascinante como um sorriso de madona, sob a roupagem amarela e tênue da gordura fresca, oleosa...

Mais além, na planície verdurosa e banhada de córregos murmúrios, a boiada ofegante, coleando na pastagem rica, mastigando e mugindo, como numa antecâmara de guilhotina, à espera da hora em que terá de entrar para o talho...

São as visões cruciantes do caminheiro abandonado num deserto de areias, ressequido e estéril, a ver, na vigília causticante, no sono, as límpidas cascatas em borbotões espumarados, jorrando as massas líquidas, irisadas, de um pedregal entre selvas, marulhado de ondas e bafejado de coruscantes brisas, por uma fresca e iluminada manhã outonal, do sul.

Mas como num acordar de sonho, alquebrados, famintos e triturantes, ao volver os olhos à realidade, eis-nos deparados com a lamentável e furibunda inópia: a dessa farta iguaria que os deuses chamariam o seu manjar, em terras da América, mais ricas do que os campos da Austrália.

E uma grande tristeza, alastrada de lágrimas, em nossos olhos rasos se desenha, como numa noite de inverno, ao viandante friorento, em torno de uma fogueira apagada!

O que estamos sofrendo todos, na sequidão devorante dos apetites dilacerados pela ignomínia da carestia que nos tortura, é uma cousa inaudita, semelhante àquelas antigas calamidades bíblicas, dos tempos dos Faraós, pela penúria dos trigos.

Pode-se dizer que o bife está transformando o caráter nacional. Já não se encontra quem tenha no rosto a expressão da alegria sã, com um sinal evidente de um povo repleto e farto; toda a gente nesta terra parece triste, por essa espécie de alta inopinada da carne que, mais avara de si mesma que a libra esterlina, ou não vêm aos mercados ou apodrece à porta dos açougues, mas não se deixa ir para a mesa de qualquer, se não a peso de ouro e destemperado como um acepipe alemão.

O horror da fome já nos apunhala a alma; porque tudo em nós não é fome, é mágoa pela escassez do bife, pelo adelgaçamento da pança, pelas torturas das vísceras, que pedem *beef*!

Daqui a mais alguns dias, se não abranda a carestia, seremos apenas isto – a fome!

No texto acima, o poeta narra uma fome que muito provavelmente sentiu e que, por entremeios sensíveis e poéticos, dá ao leitor a sensação de padecer da mesma carestia, a partir da conotação mais cruel e sangrenta da carne, que é a sua escassez: a fome. Conforme explica Righi (2006, p. 130), a carne, nesse texto, assume uma importância tamanha que é definida como "a visão de felicidade", materializada em "aspecto de bife de grelha", caso tivesse sua fome saciada. As "louras" e o "sorriso de madona" trazem ao imaginário o ideal e o esplendor da arte clássica, época em que as porcelanas de "frisos doirados", bem como o perfil da mulher robusta, de carnes fartas, eram sinônimos de completude e realização.

Além da sinestesia, Cruz e Sousa utiliza neologismos, criando vocábulos como "entorpimento", "verdurosa", "espumarado". Embora tais palavras não existam em nosso vocabulário, são inventadas pelo autor a fim de subsidiá-lo naquilo que ele realmente espera dizer. De "entorpimento" pode-se depreender a ideia de se entorpecer e entupir; "verdurosa" é usado como adjetivo para qualificar uma salada de verduras; "espumarado" designa algo que está repleto de espuma.

A aliteração

Cruz e Sousa foi um grande amante da música e, sobretudo nos sonetos que escreveu, se utilizou de cadências, aliterações e formações vocabulares inusitadas. Tanto é que citava em suas obras figuras como Chopin, Strauss, Beethoven, Schubert, Bach e Debussy.

O som, para o poeta, era uma forma de dar vida, de sugestionar aquilo que queria descrever, por exemplo um objeto. A mágica presente no poema a seguir (trechos), publicado em *Faróis*, nos faz pensar que é possível, de fato, ouvir o tilintar do instrumento musical elogiado pelo autor.

Violões que choram

Ah! plangentes violões dormentes, mornos,
Soluços ao luar, choros ao vento...
Tristes perfis, os mais vagos contornos,
Bocas murmurejantes de lamento.

Noites de além, remotas, que eu recordo,
Noites da solidão, noites remotas
Que nos azuis da Fantasia bordo,
Vou constelando de visões ignotas.

Sutis palpitações à luz da lua,
Anseio dos momentos mais saudosos,
Quando lá choram na deserta rua
As cordas vivas dos violões chorosos.

Quando os sons dos violões vão soluçando,
Quando os sons dos violões nas cordas gemem,
E vão dilacerando e deliciando,
Rasgando as almas que nas sombras tremem.

Harmonias que pungem, que laceram,
Dedos Nervosos e ágeis que percorrem
Cordas e um mundo de dolências geram,
Gemidos, prantos, que no espaço morrem...

E sons soturnos, suspiradas mágoas,
Mágoas amargas e melancolias,
No sussurro monótono das águas,
Noturnamente, entre ramagens frias.

Vozes veladas, veludosas vozes,
Volúpias dos violões, vozes veladas,
Vagam nos velhos vórtices velozes
Dos ventos, vivas, vãs, vulcanizadas.

Tudo nas cordas dos violões ecoa
E vibra e se contorce no ar, convulso...
Tudo na noite, tudo clama e voa
Sob a febril agitação de um pulso.

Que esses violões nevoentos e tristonhos
São ilhas de degredo atroz, funéreo,
Para onde vão, fatigadas do sonho
Almas que se abismaram no mistério.

[...]

Nesse poema, podem-se verificar duas grandes marcas da obra de Cruz e Sousa: a aliteração, ou seja, a repetição de fonemas para sugerir – não para imitar – um som; e o uso do polissíndeto, que se caracteriza pela repetição de conjunções, para dar ritmo e sonoridade ao que está escrito. Tais características revelam a extrema relevância da oralidade para o poeta simbolista, pois a musicalidade está diretamente ligada à presença da voz. Ele une, assim, linguagem e música de forma quase indissociável. A sonorização do verso sublinha o que o poeta espera comunicar, daí a essencial presença das rimas – que, por herança dos parnasianos, costumam ser ricas (rimam-se palavras de diferentes categorias gramaticais ou palavras raras cuja terminação é idêntica) no simbolismo.

Muitos são os poemas de Cruz e Sousa que se enquadram nas descrições anteriores, entre eles: "Música misteriosa", "Sinfonias do ocaso", "Incensos" (em *Broquéis*) e "Luar de lágrimas" e "Canção do bêbado" (em *Faróis*). Vejamos esta última:

Canção do bêbado
Na lama e na noite triste
Aquele bêbado ri!
Tu'alma velha onde existe?
Quem se recorda de ti?

Por onde andam teus gemidos,
Os teus noctâmbulos ais?
Entre os bêbados perdidos
Quem sabe do teu – jamais?

[...]

Que vês tu nessas jornadas?
Onde está o teu jardim
E o teu palácio de fadas,
Meu sonâmbulo arlequim?

[...]

Ah! das lágrimas insanas
Que ao vinho misturas bem,

Que de visões sobre-humanas
Tu'alma e teus olhos têm!

Boca abismada de vinho,
Olhos de pranto a correr,
Bendito seja o carinho
Que já te faça morrer!

Sim! Bendita a cova estreita
Mais larga que o mundo vão,
Que possa conter direita
A noite de teu caixão!

4.
Marcas de uma obra completa

Cruz e Sousa construiu, só com o seu cérebro, um mundo poético e elabora, isento de qualquer influência, a sua própria existência simbólica. Seu simbolismo seguirá, sem dúvida, a lei geral, exigirá a existência de um mundo transcendente, de um mundo de Essências, mas ante ele reagirá com a sua personalidade fremente e dolorosa, que não é senão dele.

Bastide, 1943, p. 122

Mesmo tendo publicado apenas três livros em vida – dois compostos por poemas em prosa (*Tropos e fantasias*, em coautoria com Virgílio Várzea, de 1885, e *Missal*, de 1893) e outro escrito em poesia (*Broquéis*, de 1893), Cruz e Sousa foi um poeta de vanguarda, pois inaugurou no Brasil o simbolismo e sua estética de ares franceses.

Além desses três títulos, o Cisne Negro deixou obras prontas para serem editadas antes de falecer. Entre elas, em ordem cronológica, estão: *Evocações* (poemas em prosa que vieram a público, por intermédio de Saturnino Meireles, em 1898); *Faróis* (poesia, publicada em 1900); *Últimos sonetos* (poemas, 1905); e ainda *O livro derradeiro*, que só foi lançado graças ao esforço de Andrade Muricy no ano de 1945, quando este reuniu poesias de diversas épocas e as dividiu nas seguintes partes: Cambiantes, Outros sonetos, Campesinas e Dispersas.

Além desses livros, sabe-se da existência de outros dois títulos posteriormente publicados, que se encontram na *Obra completa* do poeta (organizada por Andrade Muricy em 1961): *Outras evocações*, com textos em prosa similares aos de *Evocações*, e *Dispersos*, que reúne ensaios variados, perfis de pessoas e de escritores e cartas.

Sobre a *Obra completa*, Oliveira (2006, p. 15) relata que, em carta de 15 de junho de 1961 enviada a Henrique Fontes, Muricy comentava a dificuldade de publicar as produções de Cruz e Sousa: "Foi uma luta muito séria a que tive de sustentar para conseguir que o editor aceitasse publicar a totalidade da produção de Cruz e Sousa. Tive de ameaçar de (sic) retirar o texto por completo se ele não saísse por inteiro".

O episódio comprova o reconhecimento tardio que Cruz e Sousa obteve. Sua obra passou a ser valorizada somente décadas após sua morte. À época em que escreveu o segundo e o terceiro livro, no Brasil, a poderosa geração de 1870 dominava com vigor os estilos realista, naturalista e parnasiano. Machado de Assis liderava a prosa, enquanto o parnasianismo – com forte presença no jornalismo e apoiado pelo sistema republicano vigente – dominava a cena literária nacional. O reconhecimento das novas ideias da escola do simbolismo foi uma dura batalha.

Por isso, a publicação de *Missal* e *Broquéis*, no ano de 1893, foi uma feliz surpresa para Cruz e Sousa, então com 31 anos, e seus contemporâneos, que o consideravam um poeta estreante. Tal feito só se concretizou graças a Domingos de Magalhães, da editora Magalhães & Cia., que também foi responsável por publicar *O bom crioulo*, de Adolfo Caminha, e *Mocidade morta*, de Gonzaga Duque.

Depois de sua morte, exatamente no ano de seu falecimento, foi publicada, com o empenho de Saturnino Meireles, *Evocações*. Nestor Vítor, outro amigo – a quem o poeta havia entregado seus manuscritos antes de partir para o tratamento em Minas Gerais – promoveu a edição de *Faróis*, realizada com o auxílio de Gustavo Santiago e Oliveira Gomes, em 1900. Cinco anos depois, Nestor Vítor, então residindo em Paris, conseguiu da Aillaud Frères (durante muito tempo associada ao editor brasileiro Francisco Alves) a publicação da coleção que recebeu o título *Últimos sonetos*.

Admirador de Gonçalves Crespo, Teófilo Dias, Flaubert, Gautier e, principalmente, Baudelaire, Cruz e Souza viveu apenas cinco anos para celebrar a publicação de sua obra.

A leitura de todos os seus textos revela nitidamente as mudanças e mazelas sofridas pelo poeta – tanto é que seus últimos livros pendem para o lado pessimista da poética simbolista, que sugere um Cruz e Sousa carregado de amarguras e decepções e lhe outorgava, de fato, o título de "Emparedado". Vejamos o trecho final desse poema (publicado em *Evocações*):

> *Não! Não! Não! Não transporás os pórticos milenares da vasta edificação do Mundo, porque atrás de ti e adiante de ti*

não sei quantas gerações foram acumulando, acumulando pedra sobre pedra, pedra sobre pedra, que para aí estás agora o verdadeiro emparedado de uma raça.

Se caminhares para a direita baterás e esbarrarás ansioso, aflito, n'uma parede horrendamente incomensurável de Egoísmos e Preconceitos! Se caminhares para a esquerda, outra parede, de Ciências e Críticas, mais alta do que a primeira, te mergulhará profundamente no espanto! Se caminhares para a frente, ainda nova parede, feita de Despeitos e Impotências, tremenda, de granito, broncamente se elevará ao alto! Se caminhares, enfim, para atrás, ah! ainda, uma derradeira parede, fechando tudo, fechando tudo – horrível! – parede de Imbecilidade e Ignorância, te deixará n'um frio espasmo de terror absoluto.

Como se pode perceber, o texto de Cruz e Sousa relata magistralmente como ele se sentiu "emparedado" na sociedade injusta, desigual e racista em que viveu.

OS VERSOS POÉTICOS

Ricos em aliterações, neologismos, sinestesia e profundidade temática, com teor subjetivo que narra o amor – carnal, fraterno ou celestial –, a dor, a sombriedade e a morte, os versos do Poeta Negro refletem o que havia de melhor e de pior em sua existência.

Leitor e admirador de Castro Alves, escritor nordestino seu contemporâneo, Cruz e Sousa também fez questão de realizar justa homenagem ao "Poeta dos Escravos". Tal exaltação pode ser vista em poemas como "Sonhador", de *Broquéis*, em que fala sobre "desejos condoreiros", e ainda em "Clamor supremo", contido em *Últimos sonetos*, em que nos convida a "seguir para as guerras condoreiras". O termo "condoreiro" diz respeito ao condor ou a aves como a águia, o falcão e o albatroz, que foram tomadas como símbolo da geração de poetas da qual Castro Alves fazia parte. O foco temático de suas obras eram as preocupações sociais, e seus representantes procuravam disseminar entre os leitores valores como justiça e liberdade.

Clamor supremo

Vem comigo por estas cordilheiras!
Põe teu manto e bordão e vem comigo,
Atravessa as montanhas sobranceiras
E nada temas do mortal Perigo!

Sigamos para as guerras condoreiras!
Vem, resoluto, que eu irei contigo
Dentre as Águias e as chamas feiticeiras,
Só tendo a Natureza por abrigo.

Rasga florestas, bebe o sangue todo
Da Terra e transfigura em astros lodo,
O próprio lodo torna mais fecundo.

Basta trazer um coração perfeito,
Alma de eleito, Sentimento eleito
Para abalar de lado a lado o mundo!

Broquéis, lançado em 28 de agosto de 1893, era composto por 54 poemas e foi bem recebido no chamado "grupo dos novos", frequentado por aqueles que apreciavam as ideias simbolistas. Contudo, a publicação não chegou a ser lida pela grande massa de leitores, ainda dominada pela publicidade parnasiana – tanto de franceses como de autores nacionais, cujo maior expoente era Olavo Bilac. Ainda assim vendeu mais do que *Missal*, o primeiro título em prosa de Cruz e Sousa.

Com o lançamento desses dois títulos, Cruz e Sousa se tornou a figura mais forte e ilustre do movimento simbolista da época, demarcando o ano de 1893 como data de estreia dessa escola em terras brasileiras. "Mesmo depois de morto, foi em torno de sua obra que se polarizou o movimento", explica Manuel Bandeira no prefácio de *Antologia dos poetas brasileiros*, da fase simbolista de 1965.

Em *Broquéis*, a maioria dos poemas fala de amor, seja ele idealizado ou erótico, como se vê a seguir:

Canção da Formosura

Vinho de sol ideal canta e cintila
Nos teus olhos, cintila e aos lábios desce,
Desce a boca cheirosa e a empurpurece,
Cintila e canta após dentre a pupila.

Sobe, cantando, a limpidez tranquila
Da tu'alma estrelada e resplandece,
Canta de novo e na doirada messe
Do teu amor, se perpetua e trila...

Canta e te alaga e se derrama e alaga...
Num rio de ouro, iriante, se propaga
Na tua carne alabastrina e pura.

Cintila e canta na canção das cores,
Na harmonia dos astros sonhadores,
A Canção imortal da Formosura!

E ainda dá voz à dor de ser negro do poeta:

Post mortem
Quando do amor das Formas inefáveis
No teu sangue apagar-se a imensa chama,
Quando os brilhos estranhos e variáveis
Esmorecerem nos troféus da Fama.

Quando as níveas Estrelas invioláveis,
Doce velário que um luar derrama,
Nas clareiras azuis ilimitáveis
Clamarem tudo o que o teu Verso clama.

Já terás para os báratros descido,
Nos cilícios da Morte revestido,
Pés e faces e mãos e olhos gelados...

Mas os teus Sonhos e Visões e Poemas
Pelo alto ficarão de eras supremas
Nos relevos do Sol eternizados!

Com versos banhados, por vezes, em um quê de misticismo religioso que vai da angelitude à satanicidade, Cruz e Sousa dá vida a um livro de poesia que faz jus ao nome: a palavra "broquéis" é de origem medieval e diz respeito à arte de ressuscitar lendas, histórias difusas de honra e de defesa, de lutas e de proteção. Esse misticismo religioso pode ser visto no soneto a seguir:

Satã

Capro e revel, com os fabulosos cornos
Na fronte real de rei dos reis vetustos,
Com bizarros e lúbricos contornos,
Ei-lo Satã dentre os Satãs augustos.

Por verdes e por báquicos adornos
Vai c'roado de pâmpanos venustos
O deus pagão dos Vinhos acres, mornos,
Deus triunfador dos triunfadores justos.

Arcangélico e audaz, nos sóis radiantes,
A púrpura das glórias flamejantes,
Alarga as asas de relevos bravos...

O Sonho agita-lhe a imortal cabeça...
E solta aos sóis e estranha e ondeada e espessa
Canta-lhe a juba dos cabelos flavos!

Os versos reunidos em *Broquéis* nada mais são, conforme Clemente (1993, p. 51) do que "defesas contra a vulnerabilidade do tempo, com a força corrosiva da beleza e das vaidades [em que] a poesia é mais duradoura que o bronze [e em que] a frágil voz do *cisne negro*, expressão da raça e da força humana, é invencível".

Já *Faróis*, editado em 1900, por iniciativa de poetas simbolistas, tem forma e conteúdo mais dramáticos. O amor já não é mais ovacionado como em *Broquéis* e cede lugar à desmaterialização do corpo, à dor de existir. Além disso, exalta a morte:

Inexorável
Ó meu Amor, que já morreste,
Ó meu Amor, que morta estás!
Lá nessa cova a que desceste,
Ó meu Amor, que já morreste,
Ah! nunca mais florescerás?!

Ao teu esquálido esqueleto,
Que tinha outrora de uma flor
A graça e o encanto do amuleto;
Ao teu esquálido esqueleto
Não voltará novo esplendor?!

E ah! o teu crânio sem cabelos,
Sinistro, seco, estéril, nu...
(Belas madeixas dos meus zelos!)
E ah! o teu crânio sem cabelos
Há de ficar como estás tu?!

O teu nariz de asa redonda,
De linhas límpidas, sutis
Oh! há de ser na lama hedionda

O teu nariz de asa redonda
Comido pelos vermes vis?!

Os teus dois olhos – dois encantos –
De tudo, enfim, maravilhar,
Sacrário augusto dos teus prantos,
Os teus dois olhos - dois encantos –
Em dois buracos vão ficar?!

A tua boca perfumosa
O céu do néctar sensual
Tão casta, fresca e luminosa,
A tua boca perfumosa
Vai ter o cancro sepulcral?!

As tuas mãos de nívea seda,
De veias cândidas e azuis
Vão se extinguir na noite treda
As tuas mãos de nívea seda,
Lá nesses lúgubres pauis?!

As tuas tentadoras pomas
Cheias de um magnífico elixir
De quentes, cálidos aromas
As tuas tentadoras pomas
Ah! nunca mais hão de florir?!

A essência virgem da beleza,
O gesto, o andar, o sol da voz

Que Iluminava de pureza,
A essência virgem da beleza
Tudo acabou no horror atroz?!

Na funda treva dessa cova,
Na inexorável podridão
Já te apagaste, Estrela nova,
Na funda treva dessa cova
Na negra Transfiguração!

O título *Faróis* não foi dado por Cruz e Sousa, mas por Nestor Vítor, inspirado no poema de Baudelaire "Phares", de *Spleen et idéal.* O então editor do livro escreveu em nota à primeira edição:

> Guardo, além destas três obras, algumas peças de prosa e verso a mim confiadas pela piedosa viúva do poeta. Mas, dessas, umas são trabalhos modernos, que, no entanto, ele retirou das coleções a que os destinava a princípio, outras são produções antigas, dos tempos de primeira formação do seu talento, completamente destoantes de sua obra definitiva. Conservo-as como documentos preciosos, mas me parece que deixando de publicá-las como trabalhos de arte sou fiel às intenções do autor e correspondo melhor à confiança que ele em mim depositou.

Além desse, Nestor Vítor também viabilizou, em 1905, a edição de *Últimos sonetos*, que conta com cerca de cem poemas. O nome da obra foi fruto de uma indicação ocasional de

Cruz e Sousa. No prefácio dessa obra, Nestor Vítor dizia ser aquele o "livro derradeiro".

Últimos sonetos segue a tendência do obscurantismo presente em *Faróis*, mas, mesmo com temática lúgubre, sinaliza uma possível reconciliação com o mundo e a dor, numa espécie de valorização do sofrimento. No entendimento do poeta, este existia para ser usado como artifício estratégico para sublimar a dor que sentia. O intuito, então, seria o de heroicamente morrer e estabelecer um elo com a eternidade, assim como se explicita a seguir:

Alma fatigada

Nem dormir nem morrer na fria Eternidade!
Mas repousar um pouco e repousar um tanto,
Os olhos enxugar das convulsões do pranto,
Enxugar e sentir a ideal serenidade.

A graça do consolo e da tranquilidade
De um céu de carinhoso e perfumado encanto,
Mas sem nenhum carnal e mórbido quebranto,
Sem o tédio senil da vã perpetuidade.

Um sonho lirial d'estrelas desoladas
Onde as almas febris, exaustas, fatigadas
Possam se recordar e repousar tranquilas!

Um descanso de Amor, de celestes miragens,
Onde eu goze outra luz de místicas paisagens
E nunca mais pressinta o remexer de argilas!

No entanto, *Últimos sonetos*, assim como outros títulos de Cruz e Sousa, foi alvo de críticas. Entre elas, a de José Veríssimo, que acreditava ser necessário que os textos produzidos no Brasil fossem traduzidos para outras línguas para que então pudessem ser legitimados. A seguir, transcrevemos trecho da crítica – repleta de difamação e preconceito étnico –, publicada em 1978 (*apud* Oliveira, 2006):

> Os *Últimos sonetos* de Cruz e Sousa, publicação póstuma devida à tocante piedade de alguns amigos e prefaciada pelo mais dedicado deles, outro poeta, o Sr. Nestor Victor [sic], modificaram de muito o juízo que desde o seu primeiro livro de versos fiz do malogrado poeta preto. Nunca ousei dizer que em Cruz e Souza [sic] não houvesse absolutamente matéria de poesia, nem sensações e sentimentos, ideação bastante, dons verbais, capazes de fazer um poeta. Admiti sempre que os havia, mas o que não senti então, além da música das palavras, do dom de melodia, que é comum nos negros, era a capacidade de expressão, e essa incapacidade escondia-me a sua inspiração. Ou ele não tinha de fato nada para dizer ou não o sabia de todo o dizer, e esta sua inaptidão de expressão artística parecia-me chegar nele à inibição patológica. O caso que, com certas restrições, continua a ser exato, é curioso como fenômeno de psicologia étnica. Os seus sonetos, se não lhes vamos mais fundo que ao sentimento literal, não significam coisa alguma, e dificilmente se lhes poderiam ser talvez traduzidos. Constam apenas de palavras gramaticalmente arrumadas, sem sentido apreciável, ou tão escuro ou sublimado que escapa às compreensões

> miseráveis, como a minha. Chega-se mesmo lendo-os a sentir, como que materialmente, essa falha do poeta, a sua impossibilidade de exprimir o que acaso sentiria – ou talvez não sentisse, não vendo na poesia senão uma acumulação melodiosa de palavras. É o que explica o seu processo, um verdadeiro cacoete, próprio dos primitivos, das repetições enfáticas, substituindo expressões que lhe faltam.

Em poesia, o último título de Cruz e Sousa publicado foi *O livro derradeiro*, lançado em 1945 pelas mãos de Andrade Muricy. A obra traz diversos textos inéditos, bem como poemas que se encontravam dispersos pela imprensa. Todavia, há quem diga que o material diz respeito ao início de sua carreira literária, não fazendo o título jus ao conteúdo ali presente.

Dividido em quatro partes principais – "Cambiantes", "Outros sonetos", "Campesinas" e "Dispersas", *O livro derradeiro* traz ainda os poemas que Cruz e Sousa redigira em homenagem à pequena atriz prodígio Julieta dos Santos, em 1883. Vale ressaltar que os pesquisadores Ubiratan Machado e Iaponan Soares reeditaram a obra em 1990, em edição fac-similada. Além disso, os poemas foram publicados, já com correções ortográficas, em 1993, na obra *Poesia completa: Cruz e Sousa*, organizada por Zahidé L. Muzart.

A seguir, trecho de um dos poemas em homenagem a Julieta dos Santos:

Julieta dos Santos

Quando eu te vi pela primeira vez no palco
Avassalando as almas,

N'um referver de palmas,
Cheia de vida e cândido lirismo!
Senti na mente uns divinais tremores...
E louco e louco,
A pouco e pouco
Vi rebentar o interno cataclismo!...

[...]

Oh! tu nasceste para suplantar, JULIETA
Os grandes mundos,
Os mais profundos -
D'ess'arte bela, magistral, divina!...
E esse olhar tão expressivo e terno
Já eletriza
E cauteriza...
É como um raio que a corações fulmina!...

[...]

Tudo emudece na natura imensa
Desde nos campos
Os pirilampos
Até as grimpas colossais do céu!...
Tudo emudece e até eu JULIETA,
Já delirante
Vou vacilante
Cair-te aos pés como um servil, um réu!...

Além dessa bela homenagem, Cruz e Sousa traz à tona, em *O livro derradeiro*, uma poesia campesina que, segundo Nestor Vítor, sofreu influência de pelo menos três grandes representantes do gênero: Gonçalves Crespo, brasileiro radicado em Portugal; Ezequiel Freire, autor de *Flores do campo* (1874) e seu contemporâneo e amigo B. Lopes, que escreveu *Cromos* (1881).

Em seus poemas campesinos, Cruz e Sousa assume um eu lírico alegre, que celebra a natureza e que encara a mulher como símbolo de fertilidade inerente a essa natureza. A mulher, por vezes, é apresentada em analogias com frutas (figos, uvas, morangos e romãs) e flores (papoulas, rosas e violetas). Cruz e Sousa também faz uso da sinestesia para compor sua obra:

Camponesa, camponesa
Camponesa, camponesa
Ah! quem contigo vivesse
Dia e noite e amanhecesse
Ao sol da tua beleza.

Quem livre, na natureza,
Pelos campos se perdesse
E apenas em ti só cresse
E em nada mais, camponesa.

Quem contigo andasse à toa
Nas margens duma lagoa,
Por vergéis e por desertos,

Beijando-te o corpo airoso,
Tão fresco e tão perfumoso,
Cheirando a figos abertos.

Contudo, é importante ressaltar que *O livro derradeiro* tem também um Cruz e Sousa que luta contra a escravização dos negros no Brasil. Em "Da Senzala" – que faz parte do bloco denominado "Cambiantes" – o poeta dá voz à sua indignação em relação aos maus-tratos que sofriam os escravizados:

A Senzala
De dentro da senzala escura e lamacenta
Aonde o infeliz
De lágrimas em fel, de ódio se alimenta
Tornando meretriz

A alma que ele tinha, ovante, imaculada
Alegre e sem rancor,
Porém que foi aos poucos sendo transformada
Aos vivos do estertor...

De dentro da senzala
Aonde o crime é rei, e a dor – crânios abala
Em ímpeto ferino;

Não pode sair, não,
Um homem de trabalho, um senso, uma razão...
E sim um assassino!

OS POEMAS EM PROSA

Em 1885 Cruz e Sousa publica, como já dissemos, em coautoria com Virgílio Várzea, seu primeiro livro, denominado *Tropos e fantasias*. A obra contém elementos do ainda recente simbolismo.

Dentre as 64 páginas desse livro, um texto se destaca: "O padre". Assinado por Cruz e Sousa, configura-se como um dos títulos mais significativos da temática abolicionista. Nele, o poeta revela o paradoxo de sua cidade Natal, Desterro, contar com um pároco escravocrata:

O padre

UM PADRE ESCRAVOCRATA!... Horror!

Um padre, o apóstolo da Igreja, que deveria ser o arrimo dos que sofrem, o sacrário da bondade, o amparo da inocência, o atleta civilizador da cruz, a cornucópia do amor, das bênçãos imaculadas, o reflexo do Cristo...

Um padre que comunga, que bate nos peitos, religiosamente, automaticamente, que se confessa, que jejua, que reza o Orate fratres, *que prega os preceitos evangélicos, bradando aos que caem surge* et ambula.

Um escravocrata de... batina e breviário... horror!

Fazer da Igreja uma senzala, dos dogmas sacros leis de impiedade, da estola um vergalho, do missal um prostíbulo...

Um padre, amancebado com a treva, de espingarda a tiracolo como um pirata negreiro, de navalha em punho, como um garoto, para assassinar a consciência.

Um canibal que pega nos instintos e atira-os à vala comum da noite da matéria onde se revolvem as larvas esverdeadas e vítreas da podridão moral.

Um padre que benze-se e reza, instante a instante, que gagueja à frente do cadáver o aforismo de Horácio – Hodie mihi cras tibi.

Um padre que, deixando explodir todas as interjeições da ira, estigmatiza a abolição.

Ela há de fazer-se, malgrado os exorcismos crus dos padres escravocratas; depende de um esforço moral e os esforços morais são, quase sempre, para a alta filosofia – mais do que os esforços físicos –, o fio condutor da restauração política de um país!...

O interesse egoístico de um indivíduo não pode prevalecer sobre o interesse coletivo de uma nação, disse-o um moço de alevantado talento, Artur Rocha.

Não é com a ênfase dogmática do didatismo ou com a fraseologia tecnológica dos cinzelados folhetins de Teófilo Gautier que o trabalho da abolição se fará.

Mas com a palavra educada, vibrante – essa palavra que fulmina –, profunda, nova, salutar como as teorias de Darwin.

Com a palavra inflamável, com a palavra que é o raio e dinamite, como o era na boca de Gambetta, a maior concretização do estupendo – depois do sol.

A palavra que ri... de indignação; um riso convulso... de réprobo, funambulesco... de jogral.

Um riso que atravessa séculos como o de Voltaire.

Um riso aberto, franco, eloquentemente sinistro.

O riso das trevas, na noite do calvário.

O riso de um inferno... dantesco.

Ouves, padre?...

Compreendes, sacerdote?...

Entendes, apóstolo?...

Então para que empunhas o chicote e vais vibrando, vibrando, sem compaixão, sem amor, sem te lembrares daquele olhar doce e aflitivo que tinha sobre a cruz, o filho de Maria?...

O filho de Maria, sabes?!...

Aquele revolucionário do bem e aquele cordeiro manso, manso como um ósculo da alvorada nas grimpas da montanha, como o luar a se esbater num lago diamantino...

Lembras-te?!...

Era tão triste aquilo...

Não era, padre, ó padre?!...

Não havia naquela suprema angústia, naquela dor cruciante, naquela agonia espedaçadora, as mesmas contorções de uma cólica frenética, os mesmos arrancos informes de um escravo?...

Não compreendes que se açoitares um mísero que for pai, uma desgraçada que for mãe, as bocas dos filhinhos, daquelas criancinhas negras, sintetizando o remorso, o aguilhão da tua consciência, se abrirão nuns gritos desoladores que, como uns bisturis envenenados, trespassar-te-ão as carnes?...

Não compreendes que de seus olhos, acostumados a paralisarem-se ante o terror, irromperão as lágrimas, esse líquido precioso das alminhas inocentes?!!... Pois tu, nunca choraste?!...

Nunca sentiste os engasgos de um soluço saltarem-te pela garganta, quando te lembras de trocar as tuas magníficas conquistas, os teus manjares especiais, os teus licores dulçorosíssimos pela noite escura, muito escura, onde grasnam surdamente as aves da treva, onde Dante se acentua no Lasciate ogni speranza, *onde os espíritos vis desaparecem e os Homeros e Camões e Virgílios surgem e se levantam pelo braço hercúleo da posteridade, pelo fôlego intérmino e secular da História?*

Nunca?!...

Sim, tu estás comigo, padre!...

Estás!...

És bondoso, eu sei, tens a alma tão serena e tão lúcida como uma imagem de N. S. da Conceição.

Eu sei disso!...

Olha, quando morreres – se é que morres – irás de palmito e capela, na mudez dos justos e as virgens tímidas e cloróticas, entoando grave De profundis, *murmurarão lacrimosas: – Coitado, foi o pai carinhoso das donzelas...*

Requiescat in pace*!...*

Que bonito será, não!...

E depois o céu!

Sim, porque tu irás para o céu!

Não crês no céu, padre?

Pois crê, esses filólogos mentem, têm princípios errôneos e tu, padre, és um sábio...

Tu és bom...

Porém... por Deus, como é que vendes a Cristo como um quilo de carne verde no mercado?!...

Ah! É verdade, és muito pobre, andas com os sapatos rotos, não tens que comer e... és muito caridoso...

Mas, escuta, vem cá: eu tenho também minhas fantasias; gosto de sonhar às vezes com o azul.

O Azul!...

Deslumbro-me quando o sol se atufa no oceano, espadanando os raios purpureados, como flechas de fogo, pela enormidade côncava do espaço; inebrio-me quando a natureza com seu tropicalismo, ergue-se do banho de alvoradas, jorran-

do nos organismos de ouro o licor olímpico e santo do ideal, as músicas maviosíssimas e puras da inspiração, nos crânios estrelejados!...

Pois façamos uma coisa:

Eu escrevo um livro de versos que intitularei: O ABUTRE de BATINA.

Puros alexandrinos, todos iguais, corretos, com os acentos indispensáveis, com aquele tic da sexta – tipo elzevir, papel melado –, e ofereço-to, dou-to.

Prescindo dos meus direitos de autor e tu o assinas!...

Com os diabos, hás de ter influência no teu círculo.

Imprimes um milhão de exemplares, vende-os e assim terás das loiras para a tua subsistência, porque tu és paupérrimo, padre, e necessitas mesmo de dinheiro, porque tens família, muitos afilhados que te pedem a bênção e precisas dar-lhes no dia de teu santo nome um mimo qualquer.

Faz isso, mas... não te metas com o abolicionismo; é a ideia que se avigora.

Talvez digas, mastigando o teu latim: – Primo vivere deinde philosophare.

Mas é porque tu és míope e os míopes não podem encarar o sol... Mas eu dou-te uns óculos, uns óculos feitos da mais fina pele dos negros que tu azorragas...

Pode ser que a influência animal da matéria excite o espírito e que tu... vejas.

Pode ser...

Há cegos de nascença que vêem... pelos olhos da alma.

E se tu és padre e se tu és metafísico... deves ter alma...

Compreendes?...

Faz-se preciso que desapareçam os Torquemadas, os Arbues, maceradores da carne, como tu, padre.

Em vez de prédicas beatíficas, em vez de reverências hipócritas, proclama antes a insurreição... Tens dentro de ti, bate-te no peito, nas palpitações da seiva, um coração que eu penso não ser um músculo oco.

Uma piedade justa, que não desdoura, que não humilha; honesta como a intenção destes pontos e vírgulas, franca como a expansibilidade do aroma.

Vibra-o pois, fibra por fibra, se não queres que os meus ditirambos e sarcasmos, quentes, inflamados, como brasas, persigam-te eternamente, por toda a parte, no fundo de tua consciência, como uns outros medonhos Camilos de Zola; vibra-o se não queres que eu te estoure na cabeça um conto sinistro, negro, a Edgar Poe.

É tempo de zurzirmos os escravocratas no tronco do direito, a vergastadas de luz...

Sejam-te as virtudes teologais, padre, – a liberdade, a igualdade e a fraternidade – maravilhosa trilogia do amor.

Unge-te nas claridões modernas e expansivas dessas três veias — artérias da verdadeira Filosofia Universal.

Segundo apresentação dos próprios autores, *Tropos e fantasias* "sintetizam um punhado de ilusões... avigoradas no idealismo, emigrando, leves, leves, para os espíritos asseados e limpos, na higiene e na salutariedade essencial da luz". Cruz e Sousa, além dessa ode ao abolicionismo, também discorre na obra sobre temas como a democracia, a música, a evolução da natureza e a ingratidão, entre outros.

Contudo, sabe-se que a publicação não foi amplamente lida nem sequer aplaudida pelos leitores da época. E tal circunstância se repetiu com *Missal* – assim como com *Broquéis*. Os jornais, a serviço dos autores consagrados, crucificavam Cruz e Sousa. Em relação a *Missal*, o periódico *O Álbum*, na coluna denominada "Coisas miúdas" o ridicularizou, imitando algumas características de seus textos. A coluna apresentou termos rebuscados, repetição de palavras e letras maiúsculas, como era comum na escrita do poeta.

Missal recebeu críticas sobre seu conteúdo e sua forma, entre elas a de Araripe Jr. e de José Veríssimo. Este último, como crítico mais feroz de sua obra, declarou (*apud* Magalhães Jr., 1961, p. 209):

> É um amontoado de palavra, que dir-se-iam tiradas ao acaso, como papelinhos de sorte, e colocadas uma após outras na ordem em que vão saindo, com raro desdém da língua, da gramática e superabundante uso de maiúsculas. Uma ingênua presunção, nenhum pudor em elogiar-se e, sobretudo, nenhuma compreensão, ou sequer intuição, do movimento artístico que pretende seguir completam a impressão que deixa este livro em que as palavras servem para não dizer nada.

Com textos relativamente enxutos, *Missal* traz duas importantes características dos chamados poemas em prosa (formato quase sempre utilizado por Cruz e Sousa): a brevidade e a gratuidade. Sua escrita em prosa é, em geral, de cunho poético.

Cruz e Sousa, por assim dizer, escolheu não praticar uma prosa didática ou meramente informativa. Fez uso abundante de adjetivos, com notável habilidade, ao contrário do que afirmara José Veríssimo. Pretendia assim suscitar formas e cores, perfumes e gostos, os mais variados detalhes dos objetos e das ações, para aguçar o pensamento do leitor.

Nesse sentido, o próprio poeta catarinense (Sousa, 1911, p. 279-81) relata sua intenção. Os trechos transcritos a seguir demonstram a perversidade que obriga um artista a escrever em moldes já conhecidos do público, sem poder almejar uma nova forma de expressão:

> *E quanto a mim, se me fosse dado organizar, criar uma nova forma para essa transmissão, certo que o teria feito, a fim de dar ainda mais ductibilidade e amplidão ao meu Sonho. Nem prosa, nem verso! Outra manifestação, se possível fosse.* (p. 279)

> *A prosa não pode ser sempre de caráter imutável, impassível diante da flexibilidade nervosa, da aspiração ascendente, da volubilidade irrequieta do Sentimento humano. [...] Há tantas maneiras de fazer cantar a prosa, de a fazer viver, radiar, florir e sangrar, quantas sejam as diversidades dos temperamentos reais e eleitos.* (p. 280)

> *Por um lado até mesmo parece que não deveria ser esse o seu nome; não por abranger o pretendido sentimento e forma especiais, particulares, da prosa, mas por ultrapassar, por superiorizar-se por tomar outra elasticidade, outras vibra-*

ções, outras modalidades que a prosa convencional e feita sob moldes estabelecidos jamais comporta. (p. 281)

Nesses parâmetros, cabe afirmarmos que, nos poemas em prosa de Cruz e Sousa, prosa e poesia podem se substituir e se homogeneizar, se necessário for. Utilizando um ritmo envolvente, repleto de adjetivos, o poeta executa a prosa, mas o faz a seu modo, assim como no texto que abre *Missal*:

Oração ao Sol

Sol, rei astral, deus dos sidérios Azuis, que fazes cantar de luz os prados verdes, cantar as águas! Sol imortal, pagão, que simbolizas a Vida, a Fecundidade! Luminoso sangue original que alimentas o pulmão da Terra, o seio virgem da Natureza! Lá do alto zimbório catedralesco de onde refulges e triunfas, ouve esta Oração que te consagro neste branco Missal da excelsa Religião da Arte, esmaltado no marfim ebúrneo das iluminuras do Pensamento.

Permite-me que um instante repouse na calma das Ideias, concentre cultualmente o Espírito, como no recolhido silêncio das igrejas góticas, e deixe lá fora, no rumor do mundo, o tropel infernal dos homens ferozmente rugindo e bramando sob a cerrada metralha acesa das formidandas paixões sangrentas.

Concede, Sol, que os manipanços não possam grotescamente, chatos e rombos, com grimaces e gestos ignóbeis, imperar sobre mim; e que nem mesmo os Papas, que têm à cabeça as veneráveis orelhas e os chavelhos da Infalibilidade, para aqui não venham com solene aspecto abençoador babar sobre estas páginas os clássicos latins pulverulentos, as teorias abstrusas, as regras fósseis, os princípios batráquios, as leis de Crítica-megatério.

E faz igualmente, Sultão dos espaços, com que os argumentos duros, broncos, tortos, não sejam arremessados à larga contra o meu cérebro como incisivas pedradas fortes.

Livra-me tu, Luz eterna, desses argumentos coléricos, atrabiliários, como que feitos à maneira das armas bárbaras, terríveis, para matar javalis e leões nas selvas africanas.

Dá que eu não ouça jamais, nunca mais! A miraculosa caixa de música dos discursos formidáveis! E que eu ria, ria – ria simbolicamente, infinitamente, até o riso alastrar, derramar-se, dispersar-se enfim pelo Universo e subir, aos fluidos do ar, para lá no foco enorme onde vives, Astro, onde ardes, Sol, dando então assim mais brilho à tua chama, mais intensidade ao teu clarão.

Pelo cintilar de teus raios pelas ondas fulvas, flavas, ó Espírito da Irradiação! Pelos empurpuramentos das auroras, pela clorose virgem das estepes da Lua, pela clara serenidade das Estrelas, brancas e castas noviças geradas do teu fulgor, faculta-se a Graça real, o magnificente poder de rir – rir e amar, perpetuamente rir... perpetuamente amar...

Ó radiante orientalista do firmamento! Supremo artista grego das formas indeléveis e prefulgentes da Luz! pelo exotismo asiático desses deslumbramentos, pelos majestosos cerimoniais da basílica celeste a que tu presides, que esta Oração vá, suba e penetre os etéreos passos esplendorosos e lá, para sempre viver, se eternize através das forças firmes, num álacre, cantante, de clarim proclamador e guerreiro.

Ao contrário de *Missal*, o segundo livro em prosa de Cruz e Sousa, *Evocações*, é composto por textos mais longos que buscam debater as propostas estéticas e as preocupações do autor, como pode ser visto no trecho a seguir de "Intuições":

> **Intuições**
>
> – *Mas, afinal, por que és triste?!*
>
> – *Sou triste, porque o fundo de toda a Natureza é triste. Triste, porque a tristeza é Deusa, Deusa severa e soberana, com a sua larga, longa clâmide majestosa sombriamente pendida em graves, grandes rugas, envolvendo para sempre os Desolados... A tristeza medita... E é poderosa e sagrada, porque simboliza a profundidade dos Fenômenos que nos rodeiam. Olha tu para tudo. Ergue d'alto a visão do pensamento por essa inclemência dolorosa da Vida e vê lá, se, no íntimo, no recôndito das origens eternas, não está a tristeza irreparável de tudo! Ouve os teus tumultos interiores! Busca as correntes da Vida e as correntes da Morte. Procura as tuas aspirações supremas e vê lá se não é pela estrada infinita, mas excelsa, da tristeza, que elas seguem. Amo a tristeza, porque ela fecunda a todos os sentimentos de uma nobre paixão abstrata.*
>
> [...]

Evocações é o mais extenso dos livros de Cruz e Sousa e há rumores de que já estava pronto em 1897, apesar de ter sido lançado um ano depois. Trata-se de uma espécie de continuação mais profunda – e ainda mais dolorosa – dos temas de *Missal*. A escolha de temas sombrios se dá porque a tuberculose já o estava acometendo e progredia a passos largos, tão largos que a obra é póstuma.

Além disso, há que se reiterar a importância de Charles Baudelaire na maneira como Cruz e Sousa expressava as ideias. Também é possível verificar a influência do misticismo em seus poemas – reflexo dos contos de Edgar Allan Poe, que muito agregaram aos títulos escritos pelo vanguardista simbolista. Tais influências podem ser identificadas na epígrafe de "Iniciado", em *Evocações*: "Desolado alquimista da Dor, Artista, tu a depuras, a fluidificas, a espiritualizas, e ela fica para sempre, imaculada essência, sacramentando divinamente a tua Obra".

A TEMÁTICA RECORRENTE

Alquimista da dor, Cruz e Sousa não escreveu apenas sobre temas sombrios, embora tenha recorrido amplamente a eles. Prova disso é a seleção apresentada a seguir. Nela, há diversos assuntos – escolhidos por recorrência – a que o Cisne Negro fez referência em grande parte de sua obra, tanto em poesia como em prosa.

O primeiro tema – determinado, a priori, por ordem alfabética – é o amor. Amor que, para Cruz e Sousa, sempre vinha acompanhado de letra maiúscula, como a quem lhe devesse reverência. No poema em prosa a seguir, ele homenageia uma pianista de nome Sofia e discorre sobre a melancolia presente naqueles que "morrem amando".

Sofia (em *Missal*)

Foi na sala branca, de leves listrões d'ouro, que eu a vi interpretar um dia ao piano Mendelsohn, Schumann, as fugas de Bach, as sinfonias de Beethoven.

Tinha um nome bíblico, lembrando palmeiras e cisternas: chamava-se Sofia.

Era alta, de uma brancura de hóstia, como certas aves esguias que os aviários conservam e que aí vivem num grande ar dolente de nostalgia de selvas, de matas cerradas, de sombrios bosques.

Nervosa, de um desdém fidalgo de fria flor dos gelos polares, e triste, traía a Arte aquele altivo aspecto, a orgulhosa cabeça erecta em frente às partituras, que os seus olhos garços liam e que os seus dedos rosados e aristocráticos executavam com perfeição, com claro entendimento nas teclas.

E de todo esse nobre ser delicado, de todo esse perfil de imagem de jaspe, irradiava uma harmonia vaga, melancólica, uma auréola de pungitiva amargura, mais desoladas que as sinfonias de Beethoven, como se todas aquelas músicas excelsas tivessem sido inspiradas nela.

Ó aromas, sutilíssimas essências dos finos frascos facetados do luxuoso boudoir *dessa musical Magnólia; aromas vaporosos, maravilhosos perfumes que incensais, à noite, de volúpia, a sua alcova, como as purpurinas bocas das rosas, falai a linguagem alada que as vozes humanas não podem falar e dizei os murmúrios estranhos dos sentimentos imperceptíveis, imaculados, que alvoroçam a alma ansiosa dessa sonhadora Sofia.*

Só os aromas, só as essências terão os eflúvios castos, os fluidos luares de expressão, o ritmo inefável para contar que latentes palpitações traz Ela no sangue, que chama d'astro lhe inflama o peito, quando volta triste dos concertos egrégios e vai enclausurar-se na alcova – muda, muda, talvez sob a névoa de lágrimas, na comovente concentração dos que morrem amando...

Outro tema afeito a Cruz e Sousa é a exaltação do "ser artista". Assim, ele enaltece o trabalho por este realizado, uma labuta difícil e interminável, como acreditava o simbolista. No soneto "Supremo verbo", essa característica fica bastante visível:

Supremo verbo (em *Últimos Sonetos*)
– Vai, Peregrino do caminho santo,
Faz da tu'alma lâmpada do cego,
Iluminando, pego sobre pego
As invisíveis amplidões do Pranto.

Ei-lo, do Amor o Cálix sacrossanto!
Bebe-o, feliz, nas tuas mãos o entrego...
És o filho leal, que eu não renego,
Que defendo nas dobras do meu manto.

Assim ao Poeta a Natureza fala!
Enquanto ele estremece ao escutá-la,
Transfigurado de emoção, sorrindo...

Sorrindo a céus que vão se desvendando,
A mundos que se vão multiplicando,
A portas de ouro que se vão abrindo!

O simbolista também falou bastante da busca da ascensão, da possível transcendência da alma, num processo em que esta se fundiria com o corpo para alcançar a eternidade. "Siderações", por exemplo, remete o leitor a esse mundo espiritual, etéreo, e se torna um convite a uma inevitável viagem às estrelas.

Siderações (em *Broquéis*)
Para as Estrelas de cristais gelados
As ânsias e os desejos vão subindo,
Galgando azuis e siderais noivados
De nuvens brancas a amplidão vestindo...

Num cortejo de cânticos alados
Os arcanjos, as cítaras ferindo,
Passam, das vestes nos troféus prateados,
As asas de ouro finamente abrindo...

Dos etéreos turíbulos de neve
Claro incenso aromal, límpido e leve,
Ondas nevoentas de Visões levanta...

E as ânsias e os desejos infinitos
Vão com os arcanjos formulando ritos
Da Eternidade que nos Astros canta...

Do cosmo à vida terrena, Cruz e Sousa também enveredou por entre a raiz causadora de sua dor: a discriminação racial que sofria – o tema está presente em várias de suas obras. São muitos os sonetos que abordam essa questão; porém, aqui escolheu-se o poema em prosa "Dor negra":

Dor negra (em *Evocações*)
E como os Areais eternos sentissem fome e sentissem sede de flagelar, devorando com as suas mil bocas tórridas todas as rosas da Maldição e do Esquecimento infinito, lembraram-se, então, simbolicamente da África!

Sanguinolento e negro, de lavas e de trevas, de torturas e de lágrimas, como o estandarte mítico do Inferno, de signo de brasão de fogo e de signo de abutre de ferro, que existir é esse, que as pedras rejeitam, e pelo qual até mesmo as próprias estrelas choram em vão milenarmente?!

Que as estrelas e as pedras, horrivelmente mudas, impassíveis, já sem dúvida que por milênios se sensibilizaram diante da tua Dor inconcebível, Dor que de tanto ser Dor perdeu já a visão, o entendimento de o ser, tomou decerto outra ignota sensação da Dor, como um cego ingênito que de tanto e tanto abismo ter de cego sente e vê na Dor uma outra compreensão da Dor e olha e palpa, tateia um outro mundo de outra mais original, mais nova Dor.

O que canta Réquiem eterno e soluça e ulula, grita e ri risadas bufas e mortais no teu sangue, cálix sinistro dos calvários do teu corpo, é a Miséria humana, acorrentando-te a grilhões e metendo-te ferros em brasa pelo ventre, esmagando-te com o duro coturno egoístico das Civilizações, em nome, no nome falso e mascarado de uma ridícula e rota liberdade, e metendo-te ferros em brasa pela boca e metendo-te ferros em brasa pelos olhos e dançando e saltando macabramente sobre o lodo argiloso dos cemitérios do teu Sonho.

Três vezes sepultada, enterrada três vezes: na espécie, na barbaria e no deserto, devorada pelo incêndio solar como por ardente lepra sidérea, és a alma negra dos supremos gemidos, o nirvana negro, o rio grosso e torvo de todos os desesperados suspiros, o fantasma gigantesco e noturno da Desolação, a cordilheira monstruosa dos ais, múmia das múmias mortas, cristalização d'esfinges, agrilhetada na Raça e no Mundo para sofrer sem piedade a agonia de uma Dor sobre-humana, tão venenosa e formidável, que só ela bastaria para fazer enegrecer o sol, fundido convulsamente e espasmodicamente à lua na cópula tremenda dos eclipses da Morte, à hora em que os estranhos corcéis colossais da Destruição, da Devastação, pelo Infinito galopam, galopam, colossais, colossais, colossais...

O texto acima reflete o protesto racial do Dante Negro. Nele, o homem encontra-se revoltado e em conflito com a sociedade vigente. Há um descontentamento com sua cor, gritos de dor contra o mundo ao seu redor.

Tais gritos de dor não poderiam gerar outras consequências que não a melancolia, sempre presente na obra de Cruz e Sousa. O trecho a seguir de "Tristeza do infinito" resume bem esse estado que caracterizou a existência do poeta:

Tristeza do infinito (em *Faróis*)
Anda em mim, soturnamente,
Uma tristeza ociosa
Sem objetivo, latente,
Vaga, indecisa, medrosa.

Como ave torva e sem rumo,
Ondula, vagueia, oscila
E sobe em nuvens de fumo
E na minh'alma se asila.

[...]

Tristeza de não sei donde,
De não sei quando nem como...

Flor mortal, que dentro esconde
Sementes de um mago pomo.

[...]

Certa tristeza indizível,
Abstrata, como se fosse
A grande alma do Sensível
Magoada, mística, doce.

Ah! tristeza imponderável,
Abismo, mistério aflito,
Torturante, formidável...
Ah! tristeza do Infinito!

Decorrente da melancolia, o desejo de morrer aparece em muitos textos de Cruz e Sousa. Até por conta da busca da transcendência, morrer, para os simbolistas, era um degrau para estar mais perto do cosmo. A própria noite, segundo o poeta simbolista diretamente ligada às trevas, era uma obsessão:

A morte (em *Últimos sonetos*)
Oh! que doce tristeza e que ternura
No olhar ansioso, aflito dos que morrem...
De que âncoras profundas se socorrem
Os que penetram nessa noite escura!

Da vida aos frios véus da sepultura
Vagos momentos trêmulos decorrem...

E dos olhos as lágrimas escorrem
Como faróis da humana Desventura.

Descem então aos golfos congelados
Os que na terra vagam suspirando,
Com os velhos corações tantalizados.

Tudo negro e sinistro vai rolando
Báratro abaixo, aos ecos soluçados
Do vendaval da Morte ondeando, uivando...

Temas como melancolia e morte estiveram mais presentes nos últimos livros de Cruz e Sousa, o que remete às dificuldades – econômicas e de saúde – pelas quais o peta passava. Em outra perspectiva, numa época mais agraciada da vida – principalmente em sua fase de poesias campesinas –, o poeta catarinense também escreveu sobre a natureza:

Nos campos (em *O livro derradeiro*)
Por entre campos de seara loura
De alegre sol puríssimo batidos,
Passam carros chiantes de lavoura
E raparigas sãs, de coloridos
Que à luz solar que as ilumina e doura
Lembram pomares e jardins floridos,
Por entre campos de seara loura.

A Natureza inteira reverdece
Pelos montes e vales e colinas;

E o luar que freme, anseia e resplandece,
Movido por aragens vespertinas,
Parece a alma dos tempos que floresce...
Enquanto que por prados e campinas
A Natureza inteira reverdece.

A paz das coisas desce sobre tudo!
E no verde sereno d'espessuras,
No doce e meigo e cândido veludo,
Tremem cintilações como armaduras
Ou como o aço brunido dum escudo;
Enquanto que das límpidas alturas
A paz das coisas desce sobre tudo!

[...]

Por fim, não se pode deixar de mencionar a presença de um último tema: a religião. Nela Cruz e Sousa baseia sua tese de que o corpo deixaria de ser matéria constituída por uma alma para, então, se tornar apenas espírito, numa espécie de corporificação. Pela religião, o poeta também evoca a sua ancestralidade mítica– a existência de ancestrais garante a continuidade da relação entre este mundo e o universo espiritual:

De alma em alma (em *Últimos Sonetos*)
Tu andas de alma em alma errando, errando,
como de santuário em santuário.
És o secreto e místico templário
As almas, em silêncio, contemplando.

Não sei que de harpas há em ti vibrando,
que sons de peregrino estradivário
Que lembras reverências de sacrário
E de vozes celestes murmurando.

Mas sei que de alma em alma andas perdido
Atrás de um belo mundo indefinido
De silêncio, de Amor, de Maravilha.

Vai! Sonhador das nobres reverências!
A alma da Fé tem dessas florescências,
Mesmo da Morte ressuscita e brilha!

Como vemos, a obra de Cruz e Sousa é rica no que diz respeito à gama de assuntos que ele abordou, seja em poesia, seja em poemas em prosa. Seria arbitrário, por isso, afirmar que apenas os temas aqui citados aparecem em suas publicações. Portanto, é essencial que esse panorama de temas mais recorrentes seja encarado como uma pequena parcela de sua vasta obra.

5. Panorama histórico

Promovida principalmente
por brancos, ou por negros
cooptados pela elite branca,
a abolição libertou os brancos
do fardo da escravidão
e abandonou os negros
à própria sorte.
Costa, 1999, p. 247

Não se pode falar sobre a vida de um autor sem analisar, ainda que brevemente, o contexto histórico e social da época em que ele viveu. Nesse sentido, quando nos debruçamos sobre a vida e a obra de Cruz e Sousa, é inevitável narrar sua luta abolicionista e outros feitos históricos que fizeram parte de seu tempo e influenciaram sua existência. Por isso, neste capítulo falaremos sobre a luta abolicionista no Brasil e sobre a importância de Cruz e Sousa nesse movimento.

O BRASIL DE OUTRORA (UM PASSADO DE LUTA PELA ABOLIÇÃO DA ESCRAVATURA)

Não se pode negar: o Brasil de hoje é fruto de um Brasil de outrora. Tanto é que grande parte da população negra é considerada pobre. Tal pobreza não diz respeito só a problemas atuais de má governança do país, mas remonta a fatos históricos que muito oprimiram aqueles que aqui habitaram desde o século XVI.

Foi por volta de 1570 que os africanos foram trazidos pelos portugueses como escravos para trabalhar no Brasil – quando este ainda era colônia de Portugal. Os portugueses, por sua vez, defendiam a existência do trabalho escravo em suas colônias, pois alegavam que essa já era uma prática recorrente na África.

Nesse sentido, nem a Coroa portuguesa nem a Igreja fizeram qualquer objeção à escravização do negro. Até porque ele era encarado como um ser racialmente inferior, havendo até mesmo teorias científicas para comprovar tal argumento. Nas fazendas, principalmente, o escravo chegava a trabalhar até 16 horas por dia e dormia em acomodações coletivas chamadas senzalas, ou em palhoças. O tempo de vida média útil de um escravo era de 10 a 15 anos, conforme indicam estudos com viés histórico realizados após o período de escravização no Brasil.

Há quem diga que, até 1855, entraram pelos portos brasileiros (principalmente aqueles localizados nas cidades de Salvador e Rio de Janeiro) cerca de dez milhões de africanos para serem escravizados em terras brasileiras.

Contudo, no século XIX, a partir da Revolução Industrial em voga na Europa, a escravidão deixou de interessar ao sistema capitalista em ascensão. O reflexo das lutas abolicionistas internacionais se fizeram sentir no Brasil. Em 1850, com a proibição do tráfico de escravos - a chamada Lei Eusébio de Queirós -, campanhas abolicionistas foram lançadas em todo o território brasileiro, num total de 38 anos de conflitos sociopolíticos e econômicos que demandavam a proibição geral da escravização no país. Foi assim que, com a eclosão da Guerra do Paraguai (na qual o Brasil contou com muitos escravizados em suas fileiras) e com a luta pela implantação do regime republicano no Brasil, a campanha cívica que pôs fim à escravidão teve início. Ela contou com a colaboração de diversos setores da sociedade brasileira, à exceção dos grandes proprietários de terra - como os cafeicultores paulistas, que certamente perdiam com o fim da mão de obra escrava.

Vale ressaltar que, em 1871, foi promulgada a Lei Barão do Rio Branco ou Lei do Ventre Livre, que libertava os negros nascidos a partir do dia 28 de setembro, mas ainda tinha como prerrogativa mantê-los submissos ao senhor de terras até os 16 anos de idade.

No início da década de 1870 começaram a chegar ao Brasil os primeiros imigrantes italianos, tornando o uso de mão de obra livre cada vez mais pungente. Nesse sentido, em 1880 é fundada a Sociedade Contra a Escravidão e, em 1881, a Sociedade Central de Imigração inicia seus serviços.

Já nos idos de 1884 ocorre a extinção da escravização no Ceará e, em seguida, no estado do Amazonas. Esse fato foi marcante na história do abolicionismo no país, já que esses estados se tornavam precursores na prática antiescravista. No ano seguinte, em 28 de setembro de 1885, ainda em decorrência das lutas abolicionistas, foi promulgada a Lei dos Sexagenários, que libertava os escravizados com mais de 60 anos de idade. Na prática, porém, a lei lançava à miséria aqueles que não tinham mais condições físicas de arranjar um emprego remunerado; além disso, eram poucos os escravizados que atingiam essa idade.

Independentemente dessas falhas, vários foram os personagens dessa luta, entre eles o próprio Cruz e Sousa, com seus textos e versos a respeito da urgência do abolicionismo no país e sobre a difícil vida do negro no Brasil. A seu lado esteve Joaquim Nabuco, o principal representante parlamentar dos abolicionistas, além do teatrólogo Artur Azevedo e do também poeta Castro Alves. Sem contar importantes nomes como o do advogado Luís Gama, do engenheiro André Rebouças e do jornalista José do Patrocínio.

No final de 1887, a maioria dos fazendeiros já havia se resignado ao abolicionismo e, assim, em 13 de maio de 1888, depois de tramitar na Câmara e no Senado, a lei que abolia a escravização foi levada à sanção da Princesa Isabel, que à época exercia a Regência no lugar de seu pai. Dessa forma, ficou proibida a existência de escravos no Brasil, mas é essencial perceber que apenas libertar os escravos não era suficiente. Nenhuma medida sociopolítica ou econômica foi aprovada com a Lei Áurea e, portanto, não se garantiu aos ex-escravizados qualquer infraestrutura ou o mínimo acesso a direitos básicos. Entre os resultados nefastos desse descaso está o aumento do número de suicídios entre negros, número este que cresceu substancialmente após o ano de 1888.

Personagem inegável dessa luta, em 22 de junho de 1887 Cruz e Sousa escreve para o periódico *Regeneração* – que fazia propaganda abolicionista em Santa Catarina – um texto chamado "Abolicionismo", onde dá o tom de sua participação na luta pela abolição.

> *A ação que o Abolicionismo tem tomado nesta capital é profundamente significativa. Nem podia ser menos franca e menos sincera a adesão de todos a esta ideia soberana, à vista dos protestos da razão humana, do patriotismo e caráter nacional ante tão bárbara e absurda instituição – a do escravagismo.*
>
> *A onda negra dos escravocratas tem de ceder lugar à onda branca, à onda de luz que vem descendo, descendo, como catadura do sol, dos altos cumes da ideia, preparando a pátria para a organização futura mais real e menos vergonhosa. Porque é preciso saber-se, em antes de se ter uma razão errada das coisas, que o Abolicionismo não discute pessoas, não discute indivíduos nem interesses: discute princípios, discute coletividade, discute fins gerais.*
>
> *Não vai unicamente pôr-se a favor do escravo pela sua posição tristemente humilde e acobardada pelos grandes e pelos maus, mas também pelas causas morais que o seu individualismo traz à sociedade brasileira, atrasando-a e conspurcando-a.*
>
> *Não se liberta o escravo por pose, por chiquismo, para que pareça a gente brasileira elegante e graciosa ante as nações disciplinadas e cultas. Não se compreende, nem se adaptando ao meio humanista a palavra escravo, não se adapta nem se compreende da mesma forma a palavra senhor.*

Tanto tem de absurda, de inconveniente, de criminosa, como aquela. Se a humanidade do passado, por uma falsa compreensão dos direitos lógicos e naturais, considerou que podia apoderar-se de um indivíduo qualquer e escravizá-lo, compete-nos a nós que somos um povo em via de formação, sem orientação e sem caráter particular de ordem social, compete-nos a nós, dizíamos, fazer desaparecer esse erro, esse absurdo, esse crime.

Não se pense que com a libertação do escravo virá o estado de desorganização, de desmembramento no corpo ainda não unitário do país.

Em toda revolução, ou preparação de terreno para um progresso político seguro, em todo desenvolvimento regulado de um sistema filosófico ou político têm de haver, certamente, razoáveis choques, necessários desequilíbrios, do mesmo modo que pelas constantes revoluções do solo, pelos cataclismos, pelos fenômenos meteorológicos, descobrem-se terrenos desconhecidos, minerais preciosos, astros e constelações novas. O desequilíbrio ou choque que houve não pode ser provavelmente sensível, fatal para a nação. Às forças governistas competem firmar existência de trabalho do homem tornado repentinamente livre, criando métodos intuitivos e práticos de ensino primário, colônias rurais, estabelecimentos fabris etc.

A escravidão recua, o Abolicionismo avança seguro, convicto, como uma ideia, como um princípio, como uma utilidade. Até agora o maior poder do Brasil tem sido o braço escravo: dele é que parte a manutenção e a sustentação dos indivíduos dos pais dinheirosos; com o suor escravo é que se fazem deputados, conselheiros, ministros, chefes de Estado. Por isso no país não há indústria, não há índole da vida prática social, não há artes.

Os senhores filhos de fazendeiros não querem ser lavradores, nem artífices, nem operários, nem músicos, nem pintores, nem escultores, nem botânicos, nem floricultores, nem desenhistas, nem arquitetos, nem construtores, porque estão na vida farta e fácil, sustentada e amparada pelo escravo dos pais, que lhes enche a bolsa, que os manda para as escolas e para as academias.

De sorte que, se muitas vezes esses filhos têm vocação para uma arte que lhes seja nobre, que os engrandeça mais do que um diploma oficial, são obrigados a doutorarem-se porque se lhes diz que isso não custa e que poderão, tendo o título, ganhar mais facilmente e até sem merecimento, posições muito elevadas; e mesmo porque, ser artista, ser arquiteto, ser industrial etc. é uma coisa que, no pensar acanhado dos escravocratas, dos retrógrados e dos egoístas, não fica bem a um nhonhô nascido e criado no conforto, no bem-estar, no gozo material da moeda dada pelo braço escravo.

MARCOS HISTÓRICOS DURANTE A VIDA DE CRUZ E SOUSA

A seguir, um breve resumo dos fatos históricos que permearam a vida de Cruz e Sousa e influenciaram sua adesão à luta abolicionista:

1861: Rompimento das relações diplomáticas entre Brasil e Inglaterra, na tentativa desta última de manter o controle econômico dos mercados brasileiros.

1863: Abraham Lincoln proclama, em 1º de janeiro, a abolição da escravatura nos Estados Unidos.

1864: Início da Guerra do Paraguai.
1867: Inauguração da Estrada de Ferro Santos-Jundiaí. Amplia-se o processo de exportação do café.
1870: Fim da Guerra do Paraguai. Fundação da Sociedade de Libertação e da Sociedade Emancipadora do Elemento Servil. Publicação do Manifesto Republicano no jornal *A República* de 3 de dezembro. Início da imigração italiana ao Brasil.
1871: Promulgada a Lei do Ventre Livre.
1872: Fundação do Partido Republicano Paulista.
1873: Convenção de Itu, o primeiro Congresso republicano.
1881: Fundação da Sociedade Central de Imigração.
1883: Fundação da Confederação Abolicionista.
1884: Extinção da escravização no Ceará e no Amazonas.
1885: Promulgada a Lei Saraiva-Cotegipe, ou Lei dos Sexagenários, no dia 28 de setembro.
1886: Fundação da Sociedade Promotora da Imigração.
1888: Assinada, em 13 de maio, a Lei Áurea, que declara a abolição da escravatura.
1889: Proclamação da República, em 15 de setembro.
1890: Primeiras revoltas de categorias profissionais urbanas. Eleita a Assembleia Constituinte.
1891: Promulgação da Constituição. Deodoro da Fonseca torna-se o primeiro presidente da República no Brasil.
1893: Começa no Rio Grande do Sul a Revolução Federalista, que almejava a independência do sul em relação ao governo federal.
1894: Fim da Revolta da Armada, movimento de rebelião promovido por unidades da Marinha contra o governo do ma-

rechal Floriano Peixoto, supostamente apoiada pela oposição monarquista à recente instalação da República. Primeira eleição direta para Presidente do Brasil, realizada em 1º de março. É eleito Prudente de Morais.

1895: Fim da Revolução Federalista.

1896: Início da Guerra de Canudos, no interior do estado da Bahia, que durou cerca de um ano.

Cronologia e cartas

VIDA E OBRA DE CRUZ E SOUSA

1861: Nasce no dia 24 de novembro na cidade de Desterro, atual Florianópolis, no estado de Santa Catarina. Filho de Guilherme, mestre pedreiro (escravo do marechal-de-campo Guilherme Xavier de Sousa) e de Carolina Eva da Conceição, lavadeira (escrava que foi liberta por conta de seu casamento). Cruz e Sousa recebe o nome do santo do dia, São João da Cruz, e o sobrenome do senhor de seu pai. Durante toda a infância, viveu como filho de criação do marechal e de sua mulher: a dona Clarinda Fagundes de Sousa.

1862: É batizado em 24 de março.

1865: Inicia os estudos e aprende as primeiras letras com dona Clarinda Fagundes de Sousa.

1868: Ainda pequeno, lê seus primeiros versos para o marechal Guilherme Xavier de Sousa.

1869: Começa a frequentar a escola pública do chamado "velho" Fagundes, professor e irmão de dona Clarinda. Apresenta-se em salões, concertos e teatrinhos, recitando poesias de sua autoria.

1870: Morre o marechal Guilherme Xavier de Sousa.

1871/75: Frequenta o Ateneu Provincial Catarinense. Nesses cinco anos estuda francês, grego, latim, inglês, matemática e ciências naturais, destacando-se como excelente aluno em todas as disciplinas.

1877: Trabalha como professor de aulas particulares, preparando, especialmente, educadores para o magistério público. Publica versos em jornais de Desterro, cidade onde ainda morava.

1881: Funda o jornalzinho de literatura *Colombo*, com os poetas e amigos Virgílio Várzea e Santos Lostada. Essa publicação contou com um número dedicado ao decenário da morte do poeta condoreiro Castro Alves. Viaja pelo Brasil acompanhando turnês de companhias de teatro, entre elas a Companhia Dramática Julieta dos Santos. Participa de agitações abolicionistas e adere à chamada Escola Nova.

1882: Inicia a redação do jornal *Tribuna Popular*. Participa de acirrada polêmica pró e contra o realismo, conhecida como "Guerrilha Catarinense".

1883: Publica, com os mesmos companheiros Virgílio Várzea e Santos Lostada, o livreto de poemas em homenagem à atriz prodígio Julieta dos Santos, em cuja companhia trabalhara. Nomeado presidente da província de Desterro o sociólogo Francisco Luís da Gama Rosa, que se torna amigo do poeta.

1884: Ao deixar o governo, Gama Rosa nomeia Cruz e Sousa promotor de Laguna, mas a nomeação é impugnada. Viaja para as províncias do Norte do país, especialmente a Bahia, onde discursa nos clubes abolicionistas Luís Gama e Libertadora Baiana. Recebe homenagem da *Gazeta da Tarde*.

1885: Publica seu primeiro livro, chamado *Tropos e fantasias*, em coautoria com Virgílio Várzea. De volta à cidade de Desterro, assume a redação do jornal ilustrado *O Moleque*.

1886: Viaja ao Rio Grande do Sul.

1887: Começa a trabalhar na Central de Imigração da cidade de Desterro. Oscar Rosas o convida a viajar para o Rio de Janeiro.

1888: Em rápida passagem pelo Rio de Janeiro, conhece Nestor Vítor, B. Lopes e o seu conterrâneo Luís Delfino. Aprofunda-se na leitura dos autores simbolistas, por influência de Gama Rosa.

1889: Em janeiro, tem duas poesias publicadas em *Novidades*. Retorna a 17 de março à cidade de Desterro.

1890: Muda-se definitivamente para o Rio de Janeiro. Colabora, como jornalista, no jornal catarinense *Novidades* e na *Revista Illustrada*, de Ângelo Agostini. Consegue seu primeiro emprego no Rio.

1891: Carolina, sua mãe, falece, em agosto. Passa a escrever no periódico *O Tempo* e publica manifestos simbolistas na *Folha Popular*.

1892: Conhece sua futura esposa, Gavita Rosa Gonçalves, no dia 18 de setembro. Começa a publicar no jornal *Cidade do Rio*, de José do Patrocínio.

1893: Publica, pela editora Casa Magalhães & Cia., seu primeiro livro solo, chamado *Missal*, em fevereiro. Em agosto do mesmo ano lança *Broquéis*. Casa-se com Gavita, a 9 de novembro. É nomeado praticante de arquivista da Estação Central do Brasil, localizada no Rio de Janeiro, em dezembro.

1894: É promovido a arquivista. Nasce, a 22 de fevereiro, seu primeiro filho, Raul. Desterro passa a ser chamada de Florianópolis, em homenagem ao Marechal Floriano Peixoto.

1895: Visita do grande poeta simbolista mineiro Alphonsus de Guimaraens, que viaja ao Rio de Janeiro especialmente para ver Cruz e Sousa. Nasce, a 7 de outubro, seu segundo filho, chamado Guilherme.

1896: Em março, Gavita começa a ter sintomas de loucura, por conta das dificuldades financeiras da família. Inspirado por esse fato, o poeta escreve "Balada de loucos", de *Evocações*, e "Ressurreição", de *Faróis* (seus terceiro e quarto livros publicados, após a sua morte). Seu pai falece. Passa a frequentar reuniões em um ambiente simbolista denominado "Antro", localizado na rua do Senado, no Rio de Janeiro.

1897: Revê as provas finais de seu livro *Evocações*. Muda para o bairro de Encantado, residindo na Rua Teixeira Pinto, nº 48 (atual Rua Cruz e Sousa). Nasce, a 24 de julho, seu terceiro filho, Reinaldo.

1898: Cada vez mais doente da tuberculose, que também ataca sua mulher e seus filhos, parte, a 16 de março, para a estação de Sítio, no atual município de Antônio Carlos, em Minas Gerais, em busca de melhores condições climáticas. No entanto, morre no dia 19 do mesmo mês. É enterrado no Cemitério de São Francisco Xavier. No mesmo ano, é publicado o livro *Evocações*, por patrocínio de Saturnino Meireles. Nasce, a 30 de agosto, seu filho póstumo, João da Cruz e Sousa Filho.

1899: A 28 de agosto, o poeta e diplomata boliviano Ricardo Jaimes Freyre realiza conferência sobre Cruz e Sousa, no Ateneo de Buenos Aires. Nestor Vítor publica livro denominado *Cruz e Sousa*.

1900: É lançado *Faróis*, organizado por Nestor Vítor.

1901: Morre sua esposa, Gavita, no dia 13 de setembro. Dois dos quatro filhos já haviam morrido antes dela e outro imediatamente depois, sobrevivendo unicamente o filho póstumo, que havia sido batizado com o mesmo nome do pai.

1904: É inaugurado, no dia 15 de maio, o novo túmulo do poeta, que leva um busto da autoria de Maurício Jubim.

1905: Publicação de *Últimos sonetos* (seu último livro), em Paris, coletânea dirigida por Nestor Vítor.

1915: Morre seu quarto e último filho, João da Cruz e Sousa Júnior, aos 17 anos, no dia 15 de fevereiro, também de tuberculose. Ele deixa um filho, Sílvio Cruz e Sousa, fruto de um relacionamento com a também adolescente Francelina Maria da Conceição – que, por sua vez, morre atropelada dois anos depois.

1919: É inaugurada, em Florianópolis, uma placa comemorativa em homenagem a Cruz e Sousa no antigo solar da casa do marechal Guilherme Xavier de Sousa.

1923: É publicada a primeira edição do livro *Obras completas de Cruz e Sousa*, organizado por Nestor Vítor, em comemoração aos 25 anos de sua morte. No dia 7 de abril, em Florianópolis, é inaugurado novo busto do poeta, no Largo Benjamin Constant.

1943: No dia 5 de agosto, por intermédio do político Nereu Ramos, inaugura-se um mausoléu definitivo do poeta, de autoria do escultor Hildegardo Leão Veloso, no Cemitério São Francisco Xavier. Publicação do livro *A poesia afro-brasileira*, de Roger Bastide, com os "Quatro estudos sobre Cruz e Sousa".

1952: Publicação da obra *Panorama do movimento simbolista brasileiro*, de Andrade Murici, com importante material sobre o poeta.

1961: Publicação, em comemoração ao centenário de Cruz e Sousa, da *Obra completa*, organizada por Andrade Murici para a Editora José Aguilar.

1995: Reedição, atualizada e acrescentada, da *Obra completa*, pela Editora Nova Aguilar.

A BIOGRAFIA DE CRUZ E SOUSA NARRADA EM CARTAS

Cruz e Sousa narrou grande parte de sua história e de suas crenças em poemas que escreveu. Todavia, a correspondência que trocou com amigos e familiares também nos permite conhecer dados de sua curta mas significativa vida. Para tanto, a seguir reproduzimos a transcrição de cartas assinadas pelo poeta.

De maneira geral, a correspondência relata seus anseios profissionais, o amor pela esposa Gavita, as dificuldades econômicas (demonstradas pelos pedidos de dinheiro aos amigos), a discriminação e o preconceito racial que tinha de enfrentar e, por fim, seu estado de saúde terminal.

A primeira carta foi escrita por Cruz e Sousa no dia 31 de março de 1892, quando este, já adulto, morava no Rio de Janeiro e estava apaixonado por Gavita.

Rio, 31 de março de 1892.

Minha adorada Gavita

Estou cheio de saudades por ti. Não podes imaginar, filhinha do meu coração, como acho grandes as horas, os dias, a semana toda. O sábado, esse sábado que eu tanto amo, como custa tanto a vir. Ah! como se demora o sábado. E tu, minha boa flor da minh'alma, que és o meu cuidado, a minha felicidade, o meu orgulho, a minha vida, não sabes como eu penso em ti, como eu te quero bem e te desejo feliz. Tu, Gavita, não me conheces ainda bem, não sabes que o amor eterno eu tenho no coração por ti, como eu adoro os teus olhos que me dão alegria, as tuas graças de mulher nova, de moça carinhosa e amiga de sua boa mãe.

Quanto mais te vejo mais te desejo ver, olhar muito, reparar bem no teu rosto, nos teus modos, nos teus movimentos, nas tuas palavras, nos teus olhos e na tua voz, para sentir bem se tu és firme, fiel, se me tens verdadeira estima, verdadeira amizade bem do fundo do teu coração virgem, bem do fundo do teu sangue.

Por minha parte sempre te quererei muito bem e nada haverá no mundo que me separe de ti, minha filhinha adorada.

Se o juramento que me fizeste dentro da igreja é sagrado e se pensas nele com amor, eu creio em ti para sempre, em ti que és hoje a maior alegria da minha vida, a única felicidade que me consola e que me abre os braços com carinho.

Estar junto de ti, eu, que nunca dei o meu coração assim a ninguém, tão apaixonadamente, como te dei a ti, é para mim ser muito feliz. Quando estou a teu lado, Gavita, esqueço-me de tudo, das ingratidões, das maldades e só sinto que os teus olhos me fazem morrer de prazer. Adeus! Aceita um beijo muito grande na boca e vem que eu espero por ti no sábado, como um louco.

Teu

Cruz

Deixando um pouco de lado a atmosfera romântica, destacamos a seguir uma carta de Cruz e Sousa enviada ao abolicionista e também catarinense Germano Wendhausen – que fora deputado na Assembleia Legislativa Provincial de 1888 a 1889.

A carta foi enviada em junho de 1888 e, entre outras informações, o Dante Negro ressalta o tratamento ríspido dispensado a ele pelo senador Alfredo d'Escragnolle Taunay, autor do romance *Inocência* e ex-presidente da província de Santa Catarina. Para contextualizar, salienta-se que Cruz e Sousa buscava manter contato com Taunay porque almejava seguir carreira política no estado de Santa Catarina.

Na carta, o poeta relata ainda as comemorações que estavam ocorrendo no Rio de Janeiro em decorrência da implantação do regime republicano no Brasil.

Corte, junho de 1888.

Caro amigo Germano Wendhausen

Cá estou nesta grande capital que cada vez mais se distingue pelo movimento e atividade mercantil de que dispõe em alto grau. Isto importa dizer que continuo a ser amigo e apreciador sincero e firme das pessoas que, como o meu belo e generoso amigo, tanto me desvaneceram e honraram com a sua consideração e simpatia. Um dever de cavalheirismo, pois reconheço a franqueza, modéstia e o desprendimento do meu excelente e digno patrício, me faz deixar de falar nas gentilezas incomparáveis que me fez, que eu não esquecerei nunca e que em tempo saberei retribuir como precisa ser.

O senador Taunay recebeu a minha carta, isto é – a carta que os adoráveis e distintos amigos aí me deram para ele; porém nem ao menos me mandou entrar, procedimento esse que me autorizou a não voltar mais à casa de tal senhor. Embora eu precise fazer carreira, não necessito, porém, ser maltratado; e, desde que o sou, pratico conforme a norma do meu caráter. Deixemos o Sr. Taunay, que não passa de um parlapatão em tudo por tudo.

Aqui, em alguns arrabaldes também continuam, com bastante brilho, diferentes festejos em homenagem à libertação do país. Até 15 ainda assisti algumas manifestações de regozijo ao triunfante e heroico acontecimento que ainda me faz pulsar de alegria o coração e o cérebro.

A imprensa tem me recebido bem, tenho sido apresentado a todos os escritores da corte, alguns dos quais conhecem-me. Queira dar-me a honra de escrever e recomendar-me à Exma. Família, a Manuel Bithencourt, Margarida, Schmidt, Dr. Paiva, Manuel João e a toda a leal e gloriosa falange do Diabo a Quatro. Sou, com consideração e sinceridade, amigo e criado agradecido.

Cruz e Sousa

Quanto às dificuldades de acesso aos cargos do governo, pode-se afirmar que isso acontecia porque Cruz e Sousa era negro. Nesse sentido, uma das cartas trocadas entre o poeta e Virgílio Várzea relata a discriminação racial sofrida por nosso biografado em decorrência de sua cor. A carta foi escrita no Rio de Janeiro, no dia 8 de janeiro de 1889. Nela, o poeta intitula-se "ariano", por conta de nunca ter sido escravo (apesar de seus pais o terem sido). Trata-se de uma resposta ao amigo Virgílio Várzea, que em sua carta falava sobre sua tristeza causada pelo ciúmes da namorada, uma jovem inglesa chamada Lilly.

Corte, 8 de janeiro de 1889.

Adorado Virgílio

Estou em maré de enjoo físico e mentalmente fatigado. Fatigado de tudo, de ver e ouvir tanto burro, de escutar tanta sandice e bestialidade e de esperar sem fim por acessos na vida, que nunca chegam. Estou fatalmente condenado à vida de miséria e sordidez, passando-a numa indolência persa, bastante prejudicial à atividade do meu espírito e ao próprio organismo que fica depois amarrado para o trabalho.

Não sei onde vai parar esta coisa. Estou profundamente mal, e só tenho a minha família, só te tenho a ti, a tua belíssima família, o Horácio e todos os outros nobres e bons amigos, que poucos são. Só dessa linda falange de afeições me aflige estar longe e morro, sim de saudades. Não imaginas o que se tem passado por meu ser, vendo a dificuldade tremendíssima, formidável em que está a vida no Rio de Janeiro. Perde-se em vão tempo e nada se consegue. Tudo está furado, de um furo monstro. Não há por onde seguir. Todas as portas e atalhos fechados ao caminho da vida e, para mim, pobre artista ariano, ariano, sim, porque adquiri, por adoção sistemática, as qualidades altas dessa grande raça, para mim que sonho com a torre de luar da graça e da ilusão, tudo vi escarnecedoramente, diabolicamente, num tom grotesco de ópera bufa.

Quem me mandou vir cá abaixo à terra arrastar a calceta da vida! Procurar ser elemento entre o espírito humano?! Para quê? Um triste negro, odiado pelas castas cultas, batido nas sociedades, mas sempre batido, escorraçado de todo o leito, cuspido de todo o lar como um leproso sinistro! Pois como! Ser artista com esta cor! Vir pela hierarquia de Eça, ou de Zola, generalizar Spencer ou Gama Rosa, ter estesia artística e verve, com esta cor? Horrível!

És um coração partido, acabo de saber pela tua chorosa carta.

Broken heart! Broken heart!

A tua Lilly emigrou, doce pássaro d'amor, para esta tumultuosa cidade.

Hoje vou vê-la e à mãe, e as flores por elas espalhadas pela tua lembrança e pelo teu coração eu farei com que cheguem ainda vivas e cheirosas junto de ti. Quero ver como essa avezinha escocesa trina de amor e saudade...

Adeus! Saudades infinitas à tua encantadora família, e que eu lhe desejo bons anos de ouro e de festas alegríssimas no meio da mais soberana das satisfações.

Abraços do celestial Horácio, no Araújo, no Jansen e no digno Lopes da nossa "Tribuna" e no excelente e adorabilíssimo Bithencourt.

Veste o "croisé" e vai, por minha parte, apresentar pêsames sinceros e honestos às tuas Exmas. primas, pela morte do cavalheiro, do limpo homem de distinção José Feliciano Alves de Brito. Não te esqueças. Honra-me por esse modo delicado e gentil. Abraça-te terrivelmente saudoso.

Cruz e Sousa

Outro grande amigo de Cruz e Sousa foi Nestor Vítor, a quem foi entregue, pelo próprio poeta, grande parte de sua obra – que, após sua morte, foi publicada graças aos esforços e o reconhecimento do companheiro. Na correspondência assinada por Cruz e Sousa no dia 18 de março de 1896, o ilustre simbolista discorre sobre a doença de Gavita, que a arrebatou graças à miséria da família no Rio de Janeiro, tamanha era a dificuldade de Cruz e Sousa em ser remunerado adequadamente pelo trabalho que exercia.

Rio, 18 de março de 1896.

Meu Grande Amigo

Peço-te que venhas com a máxima urgência a minha casa, pois minha mulher está acometida de uma exaltação nervosa, devido ao seu cérebro fraco que, apesar das minhas palavras enérgicas em sentido contrário e da minha atitude de franqueza em tais casos, acredita em malefícios e perseguições de toda a espécie. Cá te direi tudo. A tua presença me aclarará o alvitre que devo tomar.

Escrevo-te dolorosamente aflito.

Teu

Cruz e Sousa

A carta a seguir foi escrita por Cruz e Sousa no dia 27 de dezembro de 1897, no Rio de Janeiro. Nela, o Cisne Negro relata o início de sua enfermidade. Por essa correspondência, pode-se perceber que a luta contra a tuberculose não seria fácil – tanto é que, cerca de quatro meses após ter redigido a carta, Cruz e Sousa falece.

Rio, 27 de dezembro de 1897.

Meu Nestor

Não sei se estará chegando realmente o meu fim; mas hoje pela manhã tive uma síncope tão longa que supus ser a morte. No entanto, ainda não perdi nem perco de todo a coragem. Há 15 dias tenho tido uma febre doida, devido, certamente, ao desarranjo intestinal em que ando.

Mas o pior, meu velho, é que estou numa indigência horrível, sem vintém para remédios, para leite, para nada, para nada! Um horror!

Minha mulher diz que eu sou um fantasma que anda pela casa!

Se pudesses vir hoje para cá, não só para me confortares com a tua presença, mas também para me orientares n'algum ponto desta terrível moléstia, será uma alegria para o meu espírito e uma paz para o meu coração.

Teu

Cruz e Sousa

Por fim, apresentamos a última carta escrita por Cruz e Sousa, dois dias antes de sua morte. Datada de 17 de março de 1898, o poeta escreve a Nestor, seu fiel amigo, contando-lhe sobre a viagem do Rio de Janeiro a Minas Gerais que fizera em busca de um lugar com melhores condições climáticas para tratar a tuberculose.

17 de março de 1898.

Meu caro Nestor

Cheguei sem novidade a 16 deste por 7 horas e meia da manhã desse dia. Fiquei cansadíssimo da viagem. Nada tenho de importante mais a dizer-te. Os remédios tomo-os regularmente. Preciso com muita urgência de dinheiro. Isto aqui é muito agradável. Depois mandarei dizer tudo. Não te esqueças do dinheiro.

Lembranças de Gavita.

Teu

Cruz e Sousa

Como vão os meus filhos que aí ficaram? Fico no hotel Amadeu. Sobrado. Diária 6$000. No correr da Estação.

Abraço todos os amigos.

Cruz

Bibliografia

OBRAS DE CRUZ E SOUSA

Tropos e Fantasias – em coautoria com Virgílio Várzea (1885) – prosa
Missal (fevereiro de 1893) – poemas em prosa
Broquéis (agosto de 1893) – poesia
Evocações (1898) – publicação póstuma – poemas em prosa
Faróis (1900) – publicação póstuma – poesia
Últimos sonetos (1905) – publicação póstuma – poesia
O Livro Derradeiro (1945) – publicação póstuma – poesia

ARTIGOS DE CRUZ E SOUSA EM PERIÓDICOS[1]

O Artista – Desterro (SC)
"Soneto", out. 1879.

---

1. Pesquisa baseada no "Catálogo da Exposição Cruz e Sousa, 100 anos de morte (1898-1998)", assinada pelo Ministério da Cultura – Fundação Biblioteca Nacional – Departamento Nacional do Livro, disponível para download em: <http://www.dominiopublico.gov.br/download/texto/bn000126.pdf>. Acesso em: 21 jul. 2011.

"Uma visita ao hospital", 30 out. 1879.

"Soneto", 2 nov. 1885.

A Regeneração – Desterro (SC)

"Poesia", 21 out. 1880.

"Soneto", 15 jan. 1882.

"Entre luz e sombra", set. 1882.

"Sete de setembro", 10 set. 1882.

"Soneto", 30 out. 1882.

"Soneto", 7 dez. 1882.

"O desembarque de Julieta dos Santos", 24 dez. 1882.

"Da Bahia", 23 abr. 1884.

"Vítor Hugo", 30 maio 1885.

"Beijos", 9 maio 1885.

"A musa moderna", 9/10/11 jun. 1885.

"Manhã no campo", 12 jun. 1885.

"Ao ar livre", 16 jun. 1885. Dedicado a Virgílio Várzea.

"Mãe e filho", 21 jun. 1885.

"Natureza", 21 jun. 1885.

"Surdinas", 26 jun. 1885.

"Irradiações", 26 jun. 1885.

"Os dois", 5 jul. 1885.

"Cantiga da miséria", 16 jul. 1885.

"Celeste", 23 jul. 1885.

"Amor!!", 23 jul. 1885.

"Biologia e sociologia do casamento", 2 jun. 1886.

"Light and shade", 28 maio 1887.

"A romaria da trindade", 6 jun. 1887.

"O abolicionismo", 21 jun. 1887.

"Histórias simples": "À Iaiá", 23 jun. 1887; "À Sinhá", s.d.; "À Nicota", 3 jul. 1887; "À Bilu", 7 jul. 1887; "À Santa", 9 jul. 1887; "À Bibi", 14 jul. 1887; "À Neném", 28 jul. 1887; "À Zezé", 3 jul. 1887.

"Gema Cuniberti", 20 jul. 1887.
"Asas de ouro", 30 out. 1887.
"Entre ciprestes", 19 nov. 1887.
"A vida nas praias", 20 nov. 1887.

Jornal do Commercio – Desterro (SC)
"A imprensa", 8 dez. 1880.
"Versos", 13 abr. 1881.
"Comemoração do sexagésimo primeiro aniversário natalício de Joaquim Gomes de Oliveira Paiva", 12 jul. 1882.
"Soneto", 27 dez. 1883.
"Grito de guerra", 9 jun. 1885.
"Sempre e sempre", 11 jun. 1885.
"O botão de rosa", 23-26-28 jun. 1885.
"O espectro do rei", 5/8/10/11/14/15/16 jul. 1885.
"Rosa", 12 ago. 1885.
"Ninho abandonado", 8 dez. 1885.
"Assuntos literários", 10 dez. 1885. Carta ao *Jornal do Commercio* com resposta de Virgílio Várzea.
"Crença", 11 dez. 1885.
"Cristo e adúltera", 12 dez. 1885.
"Doente", 13 dez. 1885.
"Saudação", 27 dez. 1885. Recitada pelo autor na festa do Liceu de Artes e Ofícios. Desterro, 25 dez. 1885.
"Êxtase de mármore", 3 jan. 1886.
"Julieta dos Santos", 8 jan. 1886.
"Gusla da saudade", 30 mar. 1886.
"Inverno", 11 abr. 1886.
"Gloriosa", 15 abr. 1886.
"O chalé", 16 abr. 1886.
"Delírio do som", 18 abr. 1886.
"Ilusões mortas", 7 maio 1886.
"O sonho do astrólogo", 8 maio 1886.
"Cristo", 8 maio 1886.

"O estilo", 12 maio 1886.
"Frutos de maio", 14 maio 1886.
"Frêmitos", [1886?].
"Snorzando", 14 jun. 1886.
"À Julieta Dionesi", 16 out. 1890.

Colombo – Desterro (SC)
"Soneto", [1881?].
"Margarida", 14 e 21 maio 1881.
"Ao decênio de Castro Alves", 7 jul. 1881.

A Província – Desterro (SC)
"Soneto", 12 jul. 1882.
"Soneto", 14 jul. 1882.

O Caixeiro – Desterro (SC)
"Num baile", set. 1882.
"Ignota dea", 22 out. 1882.
"Away!", 26 nov. 1882.
"Julieta dos Santos", 31 dez. 1882.

O Rebate – Rio de Janeiro (RJ)
"Supremo anseio", 19 mar. 1883.
"Na mazurca", 19 mar. 1883.

O Pervígil – Pelotas (RS)
"Três pensamentos", 1º abr. 1883.
O Despertador – Desterro (SC)
"Ideia-mãe", 18 maio 1883.
"O final do Guarani", 18 ago. 1883.
"Alvorada da indústria", 9 jan. 1884.
"Escárnio perfumado", 29 out. 1884.
"Alma do pensamento", 3 jun. 1885.
"Satanismo", 29 out. 1889.

A Pacotilha – São Luís (MA)
"Escárnio perfumado", 20 ago. 1884.
"Filetes", 21 ago. 1884.
"Oiseaux du passage", 10 set. 1884.

Diário de Belém – Belém (PA)
"Metamorfose", 1º nov. 1884.

O Moleque – Desterro (SC)
"Paranaguadas", 26 mar. 1885.
"Questão brocardo", 3 maio 1885.
"Sempre", 3 maio 1885.
"Questão brocardo", 10 maio 1885.
"Pinto, pinta – Ponta a ponta", 10 maio 1885.
"Interjeição da lágrima", 17 maio 1885.
"Piruetas", 17 maio 1885.
"As devotas", 17 maio 1885.
"De claque, casaco e luva", 17 maio 1885.
"Meus esplêndidos desejos", 17 maio 1885. Ass.: Coriolano Scevola.
"Teus olhos – Esses carinhos", 17 maio 1885. Ass.: Coriolano Scevola.
"Perfis a vapor": Carlos Schmidt, 24 maio 1885.
"Nunca se cala o calado", 24 maio 1885.
"Estouro como o champagne", 24 maio 1885.
"Parece um céu estrelado", 24 maio 1885.
"Levantem esta bandeira", 31 maio 885.
"Olhares", 31 maio 1885.
"Na explosão dos bons risos", 31 maio 1885.
"Preso ao trapézio da rima", 7 jun. 1885.
"Vítor Hugo", 7 jun. 1885.
"Da lua aos raios prateados", 14 jun. 1885.
"Major Camilo", 14 jun. 1885.
"Teus olhos belos por dentro", 14 jun. 1885.
"Adalziza", 21 jun. 1885.

"Noiva e triste", 21 jun. 1885.
"Pontos e vírgulas", 21 jun. 1885.
"Ambos", 28 jun. 1885.
"Enquanto este sangue ferve", 28 jun. 1885.
"O Adalziza dos sonhos", 28 jun. 1885.
"Plenilúnio", 5 jul. 1885.
"Ziguezagues", 5 jul. 1885.
"Como um cisne, est'alma frisa", 5 jul. 1885.
"Merece o bom vidal", 5 jul. 1885.
"Triste", 12 jul. 1885.
"Zulmira dos meus amores", 12 jul. 1885.
"Deixai que a minh'alma escassa", 12 jul. 1885.
"Quando ela está de colete", 19 jul. 1885.
"Perfis a vapor": Ele, 19 jul. 1885.
"Elirzina", 19 jul. 1885. Sob a designação: Poemas IX.
"Praia do menino Deus", 19 jul. 1885. Ass.: Zé K.
"Ó cintilante Quisquia", 19 jul. 1885.
"Alirzina", 19 jul. 1885.
"Olhos pretos, sonhadores", 19 jul. 1885.
"Se estala a estrofe de fogo", 19 jul. 1885.
"Ó flora, ó ninfa das rosas", 26 jul. 1885.
"Morena dos olhos pretos", 26 jul. 1885.
"Trancos e barrancos", 26 jul. 1885.
"Embora eu não tenha louros", 2 ago. 1885.
"Ó Alzira, Alzira, Alzira", 2 ago. 1885.
"Aos relâmpagos sulfúricos", 2 ago. 1885.
"Uma lenda", 2 ago. 1885.
"Aos mortos", 2 ago. 1885.
"Uma lenda", 2 ago. 1885.
"Palmas e flores", 2 ago. 1885. Ass.: Zé K.
"À sombra espessa de um álamo", 9 ago. 1885.
"Quando está de laçarotes", 16 ago. 1885.

"Luar", 16 ago. 1885.
"Uma história", 16 ago. 1885. Ass.: Zé K.
"Mocidade", 27 ago. 1885.
"Cousas e lousas", 27 ago. 1885.
"Da ideia nos mares jônios", 6 set. 1885.
"Poema XII", 6 set. 1885.
"Como um assombro de assombros", 13 set. 1885.
"Como fortes gargalhadas", 13 set. 1885.
"Da bruma pelos países", 13 set. 1885.
"Na fonte", 13 set. 1885.
"Cega", 20 set. 1885.
"Ao público", 20 set. 1885.
"Virgílio Várzea e Cruz e Sousa", 20 set. 1885. Ass.: Zé K.
"A ermida", 27 set. 1885.
"Os nossos colegas", 27 set. 1885. Ass.: Zé K.
"Água-forte", 6 out. 1885.
"Fala o senhor Zeca da Voz", 6 out. 1885. Ass.: Zé K.
"Abolicionismo", 12 out. 1885.
"Alma que chora", 12 out. 1885.
"Balada triste", 12 out. 1885.
"Poesia", 12 out. 1885.
"Chuva de ouro", 1º nov. 1885. Ass.: Zé K.

A Manhã – Desterro (SC)
"O que é inferno", 28 mar. 1886.

Novidades – Rio de Janeiro (RJ)
"Doente", 15 jun. 1888.
"Lirial", 14 jan. 1889.
"Manhã", 21 jan. 1889.
"O mar", 27 dez. 1890.
"Arte"(1ª versão), 1º jan. 1891.
"Rir!", 3 jan. 1901.
"Sganarelo", 7 jan. 1891.

"Desmoronamento", 4 mar. 1891.
"Abelhas", 6 mar. 1891.
"Aspiração", 3 abr. 1891.
"Sensibilidade", 3 abr. 1891.
"Glórias antigas", 14 abr. 1891.
"Je dis non", 16 abr. 1891.
"O senhor secretário", 3 ago. 1891.
"Nicho de virgem", 8 ago. 1891.
"O estilo", 2 out. 1891.
"A milionária", 5 out. 1891. Ass.: Filósofo Alegre.
"De volta dos prados", 8 out. 1891.
"O el dorado", 10 out. 1891.
"Investigação", 12 out. 1891. Ass.: Filósofo Alegre.
"Psicose", 15 out. 1891.
"Volúpia", 19 out. 1891. Sob o título: "Durante a chuva".
"Luz e treva", 23 out. 1891. Ass.: Felisberto.
"Pássaro marinho", 24 out. 1891.
"Magnólia dos trópicos", 5 nov. 1891.
"Hóstias", 10 nov. 1891.
"Boca imortal", 16 nov. 1891.
"Diante do mar", 30 nov. 1891.
"No vale", 3 dez. 1891.
"Os felizes", 4 dez. 1891. Ass.: Filósofo Alegre.
"Campesinas":14 a 22 dez. 1891.
"Natal", 23 dez. 1891.
"O duque", 28 dez. 1891.
"Diante do mar", 30 dez. 1891.
"Guilherme I", 4 fev. 1892.
"Em julho", 13 fev. 1892.
"Símbolo", 22 fev. 1892.
"O batizado", 23 mar. 1892.
"Doença psíquica", 26 mar. 1892.

Polianteia – Desterro (SC)
"To sleep, to dream", 17 mar. 1889.

O Mercantil – São Paulo (SP)
"Frutas e flores", 8 fev. 1890.
"Visão medieval", 6 mar. 1890.
"Recordação", 8 mar. 1890.
"Roma pagã", 4 jul. 1890.
"Espiritualismo", 6 jul. 1890.
"Plangência da tarde", 9 jul. 1890.
"Alma antiga", 19 jul. 1890.
"Vanda", 12 jul. 1890.
"Êxtase", 26 jul. 1890.
"Luar", 31 jul. 1890.
"Celeste", 7 ago. 1890.
"A partida", 16 ago. 1890.
"Canção de abril", 16 ago. 1890.

Gazeta do Sul – Desterro (SC)
"Flor espiritual", 17 jun. 1890.

Revista Illustrada – Rio de Janeiro (RJ)
"Castelã", jan. 1891.
"Aroma", ago. 1891.
"Willis", out. 1891.
"Angelus", [1893?].
"Policromia", jul. 1893
"Poesia", [1897?].

O Tempo – Rio de Janeiro (RJ)
"Écloga", 5 jun. 1891.
"Impressões", 25 jun. 1891.
"Croquis dum excêntrico", 2 jul. 1891.
"Emílio Zola", 3 jul. 1891.

Rio Revista – Rio de Janeiro (RJ)
"Morto", mar. 1895.
"Velho testamento", abr. 1895.

Santa Catarina Magazine – Rio de Janeiro (RJ)
"Lágrimas", 1º nov. 1895.

República – Rio de Janeiro (RJ)
"Signos (Nestor Vítor)". 23 ago. 1897.

Revista Vera-Cruz – Rio de Janeiro (RJ)
"Hora da sombra", jan. 1898.
"O cego do harmonium", jan. 1898.
"Silêncios", ago. 1898.
"Canção negra", nov. 1898.

Gazeta da Tarde – Rio de Janeiro (RJ)
"Pacto das almas", 23 mar. 1898.
"Anima mea", 26 mar. 1898.
Revista Rosa-Cruz – Rio de Janeiro (RJ)
"Flor sentimental", jun. 1901.
"Perfis amigos", jun. 1901.
"Ódio sagrado", jun. 1901.
"Mundo inacessível", jun. 1901.
"Velho", jul. 1901.
"Único remédio", jul. 1901.
"O assinalado", ago. 1901.
"Écloga", ago. 1901.
"Fugitivo sonho", set. 1901.
"A espada", set. 1901.
"Decaído", set. 1901.
"Policromia, jun. 1904.
"Grandeza oculta", jun. 1904.
"Espasmos", jun. 1904.

"Vida obscura", jun. 1904.
"Rosicler", jul. 1904.
"Flor nirvanizada", jul. 1904.
"Ironia das lágrimas", jul. 1904.
"Imortal falerno", jul. 1904.
"Cogitação", jul. 1904.
"Beijos mortos", ago. 1904.
"O grande momento", ago. 1904.
"Santos óleos", ago. 1904.

Revista do Norte – São Luís (MA)
"Imutável". nº 23, 1º ago. 1902.

A Pena (órgão do Clube Literário Cruz e Sousa) – Florianópolis (SC)
"Acrobata da dor", 3 dez. 1902.
Correio da Manhã – Rio de Janeiro (RJ)
"No campo santo", 10 mar. 1907.
"Horácio de Carvalho" (apud Virgílio Várzea), 17 mar. 1907.
"Nos campos", 2 jun. 1907.
"A borboleta azul", 2 jun. 1907.
"No campo", 22 dez. 1907.
"Psicologia humana", 5 jan. 1908.
"O sol e o coração", 19 jan. 1908.
"Fonte de amor", 9 nov. 1908.
"Guerra Junqueiro", 1º jan. 1926.

Illustração Brasileira – Rio de Janeiro (RJ)
"O pequeno Boldrini" (*apud* Eurides de Matos), 1º abr. 1913.
"Os mortos", 1º abr. 1913.

O Tempo – Florianópolis (SC)
"Piedade", 13 maio 1917. Poesia com ilustração e moldura.
"Nova realeza", 13 maio 1920. Poesia com ilustração e moldura.
"Incensos", 13 maio 1930. Poesia com ilustração e moldura.

Revista Terra do Sol – Rio de Janeiro (RJ)
"Enlevo", fev. 1924.

O Paiz – Rio de Janeiro (RJ)
"Besouros", 21 dez. 1925.

A Manhã – Rio de Janeiro (RJ)
"Anjo Gabriel", 11 out. 1942.
"Carta a Gonzaga Duque", 15 nov. 1942.

O Jornal – Rio de Janeiro (RJ)
"Epitáfio", 5 out. 1885, 5 fev. 1956.
"Em maio que é mês das flores", 5 fev. 1956.

REFERÊNCIAS E SUGESTÕES BIBLIOGRÁFICAS

ALVES, Henrique. *Cruz e Sousa: o Dante Negro*. São Paulo: Associação Cultural do Negro, 1961.

AMARAL, Gloria Carneiro do. "Cruz e Sousa, leitor de Baudelaire". *Travessia*, n. 26, Florianópolis, 1993, p. 127-36.

ASSUNÇÃO, Ronaldo. "Uma leitura polifônica de Cruz e Sousa". *Travessia*, n. 26, Florianópolis, 1993, p. 103-11.s

BANDEIRA, Manuel. *Antologia dos poetas brasileiros da fase simbolista*. Rio de Janeiro: Edições de Ouro, 1965.

BASTIDE, Roger. *A poesia afro-brasileira*. São Paulo: Martins, 1943.

BRAYNER, Sonia. "Esoterismo e estética: Evocações de Cruz e Sousa". *Travessia*, n. 26, Florianópolis, 1993, p. 171-83.

CLEMENTE, Elvo. "Elementos simbolistas em *Missal* e *Broquéis*". *Travessia*, n. 26, Florianópolis, 1993, p. 45-51.

CONGRESSO NACIONAL. *100 anos sem Cruz e Sousa.* Prêmio Cruz e Sousa: monografias premiadas. Brasília: Congresso Nacional, 1998.

COSTA, Emília Viotti da. *Da monarquia à república: momentos decisivos.* 7. ed. São Paulo: Editora da Unesp, 1999.

COUTINHO, Afrânio (org.). *Cruz e Sousa.* Coleção Fortuna Crítica. Brasília: Civilização Brasileira/MEC, 1979.

CUTI (Luiz Silva). *Literatura negro-brasileira.* São Paulo: Selo Negro, 2010.

DEL-PINO, Nestor Omar. "O poeta que ia de luto". *Travessia,* Florianópolis, n. 26, 1993, p. 193-201.

ESPÍNDOLA, Elizabete M. "Cruz e Sousa: modernidade e mobilidade social em Desterro nas últimas décadas do século XIX". Disponível em: <www.labhstc.ufsc.br/pdf2007/20.20.pdf>. Acesso em: 25 jul. 2011.

FARIAS, Uelinton Alves. *Reencontro: Cruz e Sousa.* Florianópolis: Papa-Livro, 1990.

FONTES, Henrique da Silva. *O nosso Cruz e Sousa.* Florianópolis: Ed. do Autor, 1961.

GONÇALVES, Aguinaldo José. *Literatura comentada: Cruz e Sousa.* São Paulo: Abril Educação, 1982.

LEMINSKI, Paulo. *Cruz e Sousa, o negro branco.* São Paulo: Brasiliense, 1983.

LÔBO, Danilo. *Cruz e Sousa: o assinalado. Travessia,* Florianópolis, n. 26, 1993, p. 11-23.

MAGALHÃES JR., Raimundo de. *Poesia e vida de Cruz e Sousa.* São Paulo: Editora das Américas, 1961.

MONTENEGRO, Abelardo F. *Cruz e Sousa e o movimento simbolista.* 2. ed. Florianópolis: FCC, 1988.

MURICY, J. C. de Andrade (org.). *Cruz e Sousa: obra completa.* Rio de Janeiro: Nova Aguilar, 1995.

MUZART, Zahidé L. *Cartas de Cruz e Sousa*. Florianópolis: Letras Contemporâneas, 1993.

______. (intr.. e org.). *Poesia completa: Cruz e Sousa*. Florianópolis: FCC, 1993.

______. "O 'popular' na poesia do jovem Cruz e Sousa". *Travessia*, Florianópolis, n. 26, 1993, p. 163-70.

NICOLA, José de. *Painel da literatura em língua portuguesa: teoria e estilos de época do Brasil e Portugal*. São Paulo: Scipione, 2006.

NUNES, Cassiano. "Cruz e Sousa e o mito do poeta como herói moral". *Travessia*, Florianópolis, n. 26, 1993, p. 25-43.

OLIVEIRA, Anelito Pereira de. *O clamor da letra: elementos de ontologia, mística e alteridade na obra de Cruz e Sousa*. Tese (doutorado em Letras) – Departamento de Letras Clássicas e Vernáculas da Faculdade de Filosofia, Letras e Ciências Humanas da Universidade de São Paulo, São Paulo (SP), 2006.

OLIVEIRA NETO, Godofredo de. *Cruz e Sousa, o poeta alforriado*. Rio de Janeiro: Garamond, 2010 (Coleção Personalidades Negras).

PÁDUA (da Costa e Silva), Antônio de. *À margem do estilo de Cruz e Sousa*. Rio de Janeiro: Serviço de Documentação do Ministério da Educação e Saúde, 1946.

PAULI, Evaldo. *Cruz e Sousa, poeta e pensador*. São Paulo: Editora do Escritor, 1973.

______. Cruz e Sousa. *Homepage* dedicada ao mestre do simbolismo brasileiro. Disponível em: <http://cfh.ufsc.br/~simpozio/Cruz_e_Souza/>. Acesso em: 25 de julho de 2011.

PORTELLA, Eduardo. "Nota prévia a Cruz e Sousa". In: COUTINHO, Afrânio (org.). *Cruz e Souza*. Rio de Janeiro: Civilização Brasileira; Brasília: INL, 1979. (Coleção Fortuna Crítica, v. 4)

RIGHI, Volnei José. *O poeta emparedado*: tragédia social em Cruz e Sousa. Dissertação (mestrado em Literatura Brasileira) – Universidade de

Brasília, Brasília (DF), 2006. Disponível em: <http://repositorio.bce.unb.br/bitstream/10482/2764/1/VOLNEI%20JOS%C3%89%20RIGHI.pdf>. Acesso em: 25 jul. 2011.

SANTOS, Wellington de Almeida. "Cruz e Sousa: Campesinas e Campesinas inéditas". *Travessia*, Florianópolis, n. 26, 1993, p. 149-62.

SCHÜLER, Donaldo. "A prosa de Cruz e Sousa". *Travessia*, Florianópolis, n. 26, 1993, p. 185-92.

SOARES, Iaponan. "Os simbolistas catarinenses e os pseudônimos". In: *Ao redor de Cruz e Sousa*. Florianópolis: Editora da UFSC, 1988, p. 79-102.

SOARES, Iaponan; NUNES, Zilma Gesser. *Dispersos: poesia e prosa. Cruz e Sousa*. São Paulo: Editora da Unesp, 1998.

TORRES, Artur de Almeida. *Cruz e Sousa, aspectos estilísticos*. Rio de Janeiro: Livraria São José, 1975.

TORRES, Marie-Hélène Catherine. "O satanismo em Cruz e Sousa e Baudelaire". *Travessia*, Florianópolis, n. 26, 1993, p. 137-42.

VÍTOR, Nestor. "Prólogo". In: CRUZ E SOUSA. *Obras completas*. Rio de Janeiro: Anuário do Brasil, 1923, v. 1.

FILME

Cruz e Sousa – O poeta do desterro (Direção: Silvio Back; 86 minutos, 1998)

Reinvenção da vida, da obra e da morte do poeta catarinense Cruz e Sousa, fundador do simbolismo no Brasil e um dos maiores poetas negros da língua portuguesa. Por meio de 34 "estrofes visuais", o filme rastreia as paixões do poeta em Florianópolis e seu emparedamento social, racial, intelectual e trágico no Rio de Janeiro.

IMPRESSO NA GRÁFICA sumago

sumago gráfica editorial ltda
rua itauna, 789 vila maria
02111-031 são paulo sp
tel e fax 11 **2955 5636**
sumago@sumago.com.br